IDEARIUM ESPAÑOL

·

EL PORVENIR DE ESPAÑA

CIENCIAS/HUMANIDADES

ÁNGEL GANIVET

IDEARIUM ESPAÑOL

— · —

EL PORVENIR DE ESPAÑA

Edición
E. Inman Fox

COLECCIÓN AUSTRAL

Primera edición: 25-VI-1940
Decimotercera edición: 1-III-1999

© *Espasa Calpe, S. A., 1940, 1990*

Diseño de cubierta: Tasmanias

Depósito legal: M. 4.502—1999
ISBN 84—239—1925—0

Espasa, en su deseo de mejorar sus publicaciones, agradecerá
cualquier sugerencia que los lectores hagan al departamento
editorial por correo electrónico: sugerencias@espasa.es

Impreso en España/Printed in Spain
Impresión: UNIGRAF, S. L.

ESPASA

Editorial Espasa Calpe, S. A.
Carretera de Irún, km 12,200. 28049 Madrid

ÍNDICE

INTRODUCCIÓN

HISTORIA Y BIOGRAFÍA ESPIRITUAL

Idearium español pertenece a aquel género de estudios sobre el «problema de España» que brotó hacia finales del siglo XIX como respuesta a una crisis nacional. El país se encontraba en plena transición entre una estructura económica de índole preindustrial y la industrialización; la transición traía consigo una cambiante estructura social definida por la consolidación de una burguesía adinerada, una emergente clase obrera organizada y la inestabilidad de la pequeña burguesía tradicional. Por otro lado, la estructura política, caracterizada por una administración ineficaz y un sistema electoral corrompido —el caciquismo y oligarquía tan comentados—, no permitía que se desarrollase en España una democracia capitalista equiparable a la europea. Al mismo tiempo, el país se veía involucrado en unas guerras coloniales que acabaron en la derrota de la metrópoli, con la hacienda de la nación gravemente disminuida.

Estrechamente relacionadas con la realidad socio-histórica, en la actividad intelectual española durante el último cuarto del siglo pasado destacan dos novedades: nace una nueva clase de intelectuales con preocupaciones nacionales, muchos de los cuales fueron asociados con el Ateneo y la Institución Li-

bre de Enseñanza; y asumen importancia la ciencia
y el positivismo como filosofía de la transformación
liberal y burguesa de la sociedad asociada con la industrialización[1]. En España, un país que se encontraba, como acabo de indicar, en transición entre
una sociedad preindustrial y una más bien industria-
lizada con una clase media consolidada, el debate
sobre la importancia relativa entre la ciencia y los
valores más bien espirituales era particularmente
vivo. Para entender el alcance de su planteamiento,
basta referirnos al tema que se debatió en la Sección
de Ciencias Morales y Políticas del Ateneo madrileño durante 1875-1876; estaba concebido en los siguientes términos: «¿el actual movimiento de las
ciencias naturales y filosóficas, en sentido positivista, constituye un gran peligro para los grandes principios morales, sociales y religiosos en que se descansa la civilización?». A partir de 1876 y hasta
finales del siglo, los debates en el Ateneo se generali-
zaron precisamente en torno a esta cuestión y a
otras parecidas. De todas formas, todo el elemento
progresista en España apoyaba, frente a los metafí-
sicos e ideólogos, una política positivista, proyecta-
da hacia soluciones de problemas económicos y sociales, política atenuada en algunos casos por un
concepto de la humanidad ético-espiritual de origen
krausista[2].

Fue natural, entonces, que la situación del país
durante la última década del siglo pasado fuese ra-

---

[1]   Para un estudio sobre el tema, véase Francisco Villacorta
Baños, *Burguesía y cultura. Los intelectuales españoles en la sociedad liberal, 1808-1931,* Madrid, Siglo XXI, 1980.

[2]   Véase, sobre todo, «La mentalidad positivista y sus consecuencias» y «El krauso-positivismo, filosofía institucionista»,
en José Luis Abellán, *La crisis contemporánea (1875-1936),*
vol. V (1) de su *Historia crítica del pensamiento español,* Madrid,
Espasa-Calpe, 1989.

zón entre los pensadores e intelectuales de una quietud por el futuro de la patria, y esta postura exigía un examen crítico de la evolución histórica de España y la formulación de ideas para la regeneración del país. Así es que nos encontramos, de un lado, con unos estudios, hechos desde el punto de vista de las ciencias «positivistas» —es decir, de índole sociológica o económica—, repletos de estadísticas, tales como *Los males de la patria y la futura revolución española* (1890), de Lucas Mallada; *El problema nacional* (1899), de Macías Picavea; *Hacia otra España* (1899), de Ramiro de Maeztu; *Del desastre nacional y sus causas* (1899), de Damián Isern; *La moral de la derrota* (1900), de Luis Morote, y hasta cierto punto los tan influyentes estudios de Joaquín Costa *Reconstitución y europeización de España* (1900) y *Oligarquismo y caciquismo* (1901). Por otro lado, se destaca una serie de obras que enjuician a España desde la atalaya de unas reflexiones culturales e históricas, de corte espiritual y ético, influidas a menudo por el pensamiento krausista, como los ensayos de Miguel de Unamuno *En torno al casticismo* (1895); el mismo *Idearium español* (1897), de Ganivet; *El alma castellana* (1900), de J. Martínez Ruiz, el futuro Azorín; y *Psicología del pueblo español* (1902), de Rafael Altamira, en que se dedica un comentario extenso a IDEARIUM ESPAÑOL.

La composición de IDEARIUM data de principios de 1896, según un artículo, «Nuestro carácter», enviado a *El Defensor de Granada,* en que Ganivet adelanta algunas noticias sobre el libro que está redactando, para «entretener sus ocios», sobre «la constitución ideal de la raza española». Será, sugiere, un libro en contra de la actitud materialista que caracteriza la modernización europea. Está conforme con que en España se dedique a cumplir con las necesidades de la vida colectiva —maquinistas, obreros mecánicos, electricistas, etc.—, pero no a expensas de la filosofía y la reflexión sobre el carácter español. La intención de Ganivet —por cierto poco ambiciosa— es redactar un libro para estimular a una docena de amigos, en el cual ha decidido renunciar el estudio y la investigación positivista para depender más bien de sus propias ideas y opiniones[3].

Esta declaración por parte de Ganivet sobre su intención como escritor merece nuestra atención especial por el criterio que establece para la lectura de sus ensayos. El lector de Ganivet no debe perder de vista —como han hecho tantos eruditos— el hecho de que, en el fondo, la mayor parte de su obra arranca de una vocación humilde de escritor a que se suma una espontaneidad de juicio, apoyada en un bagaje intelectual y de erudición relativamente limitado. Antes de la redacción de IDEARIUM ESPAÑOL, librito que se publicó en una modesta editorial local de Granada, lo escrito por Ganivet consistía principalmente de una nutrida correspondencia con sus amigos entrañables, Francisco Navarro Ledesma, el archivero toledano que conoció durante sus años de estudiante y de opositor en Madrid, y el granadino Nicolás María López (el «Antón del Sauce» de *Los trabajos de Pío Cid).* En 1895 manda desde Amberes sus primeros artículos sobre literatura y arte a la hoja provinciana *El Defensor de Granada,* que editaba su amigo Francisco Seco de Lucena, con quien también mantenía una correspondencia personal. También son cartas, aunque a un destinatario más bien colectivo, los textos de *Granada la bella* (1895), que se agruparon en una edición privada, y cuya intención coincide con la misma citada arriba de IDEARIUM ESPAÑOL. Después del IDEARIUM, escribe Ganivet las *Cartas finlandesas* (1897), que, aun-

---

[3] *Granada la bella, O.C.,* I, 102-103.

que más narrativas y menos íntimas que las anteriores, fueron también publicadas en *El Defensor de Granada,* para informar sobre las costumbres, la literatura, la política y la historia de Finlandia a los «miembros de la tan ilustre como desconocida *Cofradía del Avellano»,* un cenáculo intelectual que nació en Granada por sugerencia de Ganivet. No obstante su intención modesta, la fama de Ángel Ganivet sigue descansando aún hoy en sus cartas-ensayos y en su interpretación del carácter nacional, IDEARIUM ESPAÑOL, a pesar de la reciente atención prestada por los críticos literarios a *La conquista del reino de Maya* (primera redacción de 1895, publicación en 1897) y *Los trabajos del infatigable creador Pío Cid* (1898), relatos simbólicos con intenciones ético-educativas, que constituyen sin duda alguna su mejor obra.

Antes de acercarse a una lectura de IDEARIUM ESPAÑOL, ayuda, como se entenderá en seguida, reflexionar brevemente sobre la biografía de Ángel Ganivet[4]. Lo primero que nos llama la atención es la trayectoria profesional, poco común en aquellos años para un provinciano de la clase media modesta, que le lleva desde Granada a Bélgica, Finlandia y finalmente Rusia. Y sigue esta trayectoria como persona solitaria, sin verdadero éxito en la vida, y viviendo sus experiencias de una manera precipitada. Veremos, al mismo tiempo, que una consideración de sus reacciones ante las realidades que le tocaron vivir permite vislumbrar que la obra de Ganivet —ensayo o novela— es, de una forma u otra,

---

[4] Las biografías más completas de Ganivet se encuentran en Melchor Fernández Almagro, *Vida y obra de Ángel Ganivet,* Madrid, Revista de Occidente, 1952; Antonio Gallego Morell, *Ángel Ganivet, el excéntrico del 98,* Madrid, Guadarrama, 1974; y Javier Herrero, *Ángel Ganivet: un iluminado,* Madrid, Gredos, 1966.

una autobiografía espiritual[5]. Hasta el pensamiento de Ganivet es, entonces, lírico, más bien que basado en el estudio, la lógica y el raciocinio.

Nuestro autor nace en Granada el 13 de noviembre de 1865, el segundo de cinco hijos, en el seno de una familia modesta de molineros y panaderos. El padre de Ángel, Francisco Ganivet Morcillo —a quien dedica el IDEARIUM—, fue amigo de la pintura y el dibujo, que estudió en la Academia de Bellas Artes. Luego sirvió de soldado en el regimiento de Lanceros de Lusitania en Burgos. A poco de volver a Granada, se casó con Ángeles García de Lara y Siles, gran lectora de novelas y libros de viaje, cuyo padre tenía un horno de pan cocer. Don Francisco se dedicó a trabajar el molino harinero familiar hasta su muerte prematura, en 1875, de un cáncer de estómago. El joven Ángel abandonó entonces la escuela para entrar como escribiente en una notaría. En 1880, sin embargo, animado por su jefe, que veía en él un joven despabilado, reanudó su educación formal en el Instituto, y cinco años más tarde sacó el bachillerato, obteniendo matrícula de honor en todas las asignaturas. Es en el Instituto de Granada donde empezó a interesarse en la obra de Lope de Vega e inició su contacto con las obras de Séneca, contacto que luego iba a influir de manera importante en su pensamiento, como veremos más adelante. También es probable que tuviese conocimiento de la polémica, en aquellos años, entre la Iglesia y el darwinismo que había importado el pensamiento positivista, porque uno de los más importantes di-

----

[5] El tema de la obra de Ganivet como autobiografía espiritual ha sido estudiado atinadamente por Javier Herrero en su libro citado y en «El elemento biográfico en *Los trabajos de Pío Cid*», en *Hispanic Review*, XXXIV (1966), págs. 95-116; y por Herbert Ramsden, *Ángel Ganivet's «Idearium español»: A Critical Study*, Manchester, University of Manchester Press, 1967.

fundidores de las ideas evolucionistas y transformistas en España, Rafael García Álvarez, fue entonces catedrático de Historia Natural en el Instituto de Granada. Luego, Ganivet se licenció en Filosofía y Letras en la Universidad de Granada, en junio de 1888; y dos años más tarde terminó la carrera de Derecho, que había estudiado al mismo tiempo que Filosofía y Letras.

Así, encontramos al joven Ganivet en Madrid, durante el curso de 1889-1890, como estudiante del doctorado de Letras. Allí vivía con cierta estrechez y con frecuencia tuvo que acudir a su madre para cubrir sus gastos. En pleno curso, decidió presentarse a las oposiciones al Cuerpo de Archiveros y Bibliotecarios con la esperanza de asumir una independencia económica; las ganó y fue destinado a la Biblioteca del Ministerio de Fomento. Aun con esto pudo preparar y presentar una tesis doctoral, «España filosófica contemporánea», que fue rechazada por el ponente Nicolás Salmerón, probablemente por su falta de rigor científico. Con más fortuna presentó Ganivet otra memoria, «Importancia de la lengua sánscrita y servicios que su estudio ha prestado a la ciencia del lenguaje en general y a la gramática comparada en particular», tesis que obtuvo el premio extraordinario del doctorado.

Más solitario que social —aunque se habla de escapadas amatorias—, Ganivet frecuentó el Ateneo en aquellos años, conoció al que iba a ser su amigo íntimo, Francisco Navarro Ledesma (luego archivero en Toledo), y se enamoró de Amelia Roldán, mujer sin pretensiones que iba a ser la madre de sus hijos. El puesto de bibliotecario no llegó a gustarle, como tampoco el trabajo que durante un corto tiempo realizó en un bufete especializado en cuestiones financieras y administrativas. Indicativa de su desosiego fue su precipitada decisión de presentarse, en la primavera de 1891, a las oposiciones a la cáte-

dra de Griego en la Universidad de Granada, con
sólo veinte días de preparación y casi sin posibilidad
de tener éxito. Fue, sin embargo, durante estos ejer-
cicios cuando llegó a conocer a Miguel de Unamuno, quien al mismo tiempo hacía oposiciones para la
cátedra en Salamanca. No volvió a haber contacto
entre ellos hasta que Unamuno, al enterarse de la
publicación de IDEARIUM ESPAÑOL y motivado por
las mismas preocupaciones que notó en la obra de
Ganivet, entró en diálogo con él a través de unas
cartas abiertas publicadas en *El Defensor de Granada,* bajo el título general de «El porvenir de España». En 1892 Ganivet asistió a las sesiones de don
Leopoldo Romeo, que se dedicaba a preparar oposi-
tores, entre ellos Navarro Ledesma, a las carreras
diplomática y consular. Tras su éxito en los ejerci-
cios, fue nombrado, en junio de 1892, vicecónsul en
Amberes. Antes de marcharse a Bélgica, Ganivet,
manifestando la idiosincrasia moral que le caracterizaba, decidió renunciar en favor de sus hermanas la
parte de la herencia de sus padres que le correspon-
diese, aunque los negocios familiares en Granada
prosperaban, por considerar que ya había cobrado
con las ayudas que le habían permitido llegar a ser
cónsul.

Permaneció en Amberes hasta finales de 1895,
cuando, al ser ascendido a cónsul de segunda clase,
fue destinado a Helsingfors (hoy Helsinki). Su estancia en Bélgica fue decisiva en su evolución personal
e intelectual. Primero, le siguió allí su amante, Amelia Roldán, que esperaba su primer hijo (una hija),
muerta poco después de nacer. Por su cargo diplomático no podía, claro está, vivir públicamente con
ella, y tuvo que instalarla independientemente, lo
cual le obligó a vivir con modestia. El resultado fue
que se retiró de la vida social, no aceptaba invita-
ciones ni hacía visitas. Su soledad fue compensada
únicamente por la frecuente correspondencia con

amigos en España, en que a menudo se destacan su pesimismo y desilusión, y la lectura varia pero asidua: Homero, Maeterlinck, Fray Luis de Granada, Renan, Racine, Galdós, Loti, Zola, Taine, Barrès, Carlyle, Macaulay, Swift. Javier Herrero documenta, a través de un estudio de su correspondencia familiar, que a partir de 1895 emerge en Ganivet una tendencia ascética muy próxima a la imagen ideal que aparece en *Los trabajos del Pío Cid* y hasta cierto punto en el IDEARIUM [6].

Más importante para entender los antecedentes del IDEARIUM resulta el hecho de que fue durante su estancia en Amberes cuando Ganivet también desarrolló unas preocupaciones abiertamente políticas. Allí es donde conoce por primera vez la civilización industrial de la época; a través de su epistolario se descubre cómo le chocó profundamente el contraste entre el «medio natural» de la pequeña ciudad en que había crecido como hijo de modestos industriales molineros y el «medio artificial» del gran capitalismo moderno. Sabemos por estas mismas cartas que la reacción fue fuerte: adoptó actitudes contra la democracia, el socialismo, el liberalismo, la industrialización, el espíritu mercantil, el culto a la técnica y a la mecanización, y hasta contra la enseñanza obligatoria [7]. En fin, parece que llega a rechazar —en plan verdaderamente utópico— la manera de pensar y los valores de la sociedad moderna. Es el contacto de Ganivet con Bélgica y su colonialismo en África lo que le lleva a escribir su novela *La conquista del reino de Maya, por el último conquistador*

---

[6] El prólogo a la edición de J. Herrero, *Correspondencia familiar de Ángel Ganivet: 1888-1897,* Granada, Anel, 1967.

[7] La influencia de la estancia de Ganivet en Bélgica sobre su pensamiento, patente en su *Epistolario,* ha sido ampliamente estudiada por Miguel Olmedo Moreno, *El pensamiento de Ángel Ganivet,* Madrid, Revista de Occidente, 1965, págs. 100-116.

español Pío Cid (redactada en su mayor parte entre 1893 y 1895). Se trata de una obra en la que, a través de la sátira, la parodia, el mito y la alegoría, intenta Ganivet descubrir el engaño que supone creer que la civilización europea es superior, sobre todo en cuanto a su confianza en el valor del progreso material basado en la tecnología y la economía mercantil como relevante al destino del hombre y una misión humanitaria.

Desde Finlandia, donde produce en algo más de dos años la mayor parte de su obra, Ganivet llega a Riga (Latvia), en agosto de 1898, en una condición psicológica grave, que el médico diagnostica como parálisis progresiva y manía persecutoria, síntomas de la sífilis que debió de contraer durante sus conocidos episodios eróticos de estudiante en Madrid. La condición exige una inmediata reclusión, pero la tramitación para entrar en el manicomio se demora, y a los tres meses, el 29 de noviembre de 1898, Ganivet, delirante, se suicida, arrojándose al río Dwina; era una decisión que, según señala Herrero, había tomado ya hacía algún tiempo[8]. Lo hace el día de la llegada desde París de Amelia Roldán con su hijo Ángel. Ganivet había roto con ella por «ciertas revelaciones» y ella venía para pedirle la reconciliación.

Sentido y forma de «Idearium español»

Ahora bien, IDEARIUM ESPAÑOL —redactado, recordemos, en 1896— es un tratado o breviario que consta de tres apartados, titulado por Ganivet, quizá simbólicamente: *A*, sobre la constitución del espíritu español; *B*, sobre la historia, según Ganivet, de la política exterior de España, y de cómo había vio-

---

[8] *Ángel Ganivet: un iluminado*, págs. 91-94.

lado la naturaleza del espíritu; y *C,* un análisis de la
crisis espiritual que sufre la sociedad española contemporánea, con recomendaciones para su restauración. Es evidente, pues, que para él, igual que para
Unamuno en *En torno al casticismo* (1895), el problema de España se revela principalmente como un
problema psicológico y filosófico.

Según Ganivet, los dos elementos constitutivos
del espíritu español se encuentran en la invasión
árabe y los ocho siglos de la Reconquista —es decir, la influencia árabe— y lo que él llama el «espíritu territorial». Este concepto seudocientífico procede
del pensamiento determinista de los historiadores
Henry T. Buckle (1821-1862) e Hippolyte Taine
(1828-1893), que insistía en la relación entre la historia de civilizaciones y su mundo natural; Ganivet
lo extrae de un texto de Derecho político[9]. La convivencia con los árabes marcó en la mentalidad
española «el misticismo, que fue la exaltación poética, y el fanatismo, que fue la exaltación de la acción». Pero el espíritu religioso puede cambiar,
mientras que el «espíritu territorial» es, según el
pensamiento de Ganivet, perenne. En los pueblos
continentales lo característico es la resistencia, en los
peninsulares la independencia y en los insulares la
agresión. Así, en el espíritu español resulta fundamental el sentir independiente. De ahí sale, según
Ganivet, el hecho de que históricamente el español
haya demostrado un espíritu «guerrero» y no «militar»; el uno es espontáneo y el otro reflexivo, aquél
significa un esfuerzo contra la organización, mientras éste comporta un esfuerzo de organización. La
base moral de la constitución ideal de España es el

---

[9]   Según Javier Herrero, la teoría del «espíritu territorial» figura en el texto que utiliza Ganivet cuando estudiaba Derecho político en Granada. Se conserva en la biblioteca de Nicolás María
López, guardada por su hijo en Granada.

estoicismo de Séneca, que Ganivet describe en el
IDEARIUM de la siguiente manera: «No te dejes vencer por nada extraño a tu espíritu; piensa, en medio
de los accidentes de la vida, que tienes dentro de ti
una fuerza madre, algo fuerte e indestructible, como
un eje diamantino, alrededor del cual giran los hechos mezquinos que forman la trama del diario vivir; y sean cuales fueren los sucesos que sobre ti caigan, sean de los que llamamos prósperos o los que
llamamos adversos, o de los que parecen envilecernos con su contacto, mantente de tal modo firme y
erguido, que al menos se pueda decir siempre de ti
que eres un hombre.» Por eso, según Ganivet, «el
espíritu español es tosco, al desnudo, sin artificiosa
vestimenta».

Es este espíritu verdadero del pueblo español el
que la política exterior de España, empezando con
Carlos I, negó al proceder como las naciones continentales, partiendo de «la idea de que el engrandecimiento nacional ha de venir del exterior; de que la
fuerza está en la extensión del territorio». Y en este
punto la política borbónica no fue mejor que la
austriaca. Pero la política exterior tiene que basarse
por necesidad en una política doméstica que se deriva de los ideales e intereses nacionales; y eso es lo
que no ha pasado en España. El resultado fue una
cultura incoherente. De ahí que escriba Ganivet:
«Una restauración de la vida entera de España no
puede tener otro punto de arranque que la concentración de todas nuestras energías dentro de nuestro
territorio. Hay que cerrar con cerrojos, llaves y can-
dados todas las puertas por donde el espíritu español se escapó de España para derramarse por los
cuatro puntos del horizonte...». Con respecto a las
colonias, Ganivet cree que una política hábil «españo-
lizante» (es decir, no económica ni mercantil) podría
llevar, no a su emancipación, sino a una confederación de las colonias autónomas con su metrópoli.

España ha sido la primera nación europea engrandecida por la política de expansión, dice Ganivet, y la primera en decaer y terminar su evolución materialista. Ya que España ha agotado sus fuerzas de expansión material, para Ganivet el origen y causa de la abulia del pueblo, tiene que cambiar de táctica y concentrar sus fuerzas en «infundir nueva vida espiritual en los individuos y por ellos en la ciudad y el Estado». Al final del IDEARIUM, al señalar el camino para definir los valores espirituales —las ideas madres— que deben servir de guía para la restauración del espíritu español, Ganivet vuelve a insistir en lo que para él es la decisiva influencia de la cultura árabe en la psicología española. Lo que distingue el carácter español del europeo es su individualismo enérgico y sentimental, heredado de la convivencia con los árabes. Y sirve de símbolo cultural Don Quijote, el Ulises arabizado, librado del peso de sus preocupaciones materiales.

Ahora, los principales argumentos que se adelantan en el IDEARIUM para la regeneración de la vida espiritual española se circunscriben, claro está, por la manera de pensar de nuestro autor, cuyas características e ideas fundamentales conviene destacar. En primer lugar, lo que es clave a la evolución del pensamiento de Ganivet, como hemos mencionado antes, fue su descubrimiento, siendo joven en Granada, de la realidad espiritual, aprendida en las obras de Séneca, filósofo estoico natural de Córdoba. Él mismo describe su senequismo en su *Epistolario* y en la segunda página del IDEARIUM, con palabras que ya hemos citado. No obstante, Miguel Olmedo Moreno, en su libro *El pensamiento de Ganivet*, puntualiza que a la variación ganivetiana del senequismo le falta la piedad estoica, su aspecto providencialista, debido al hecho de que Ganivet llegó a perder definitivamente la fe religiosa. Es, entonces, más bien un cínico. Y así cree que la ética (una moral directiva), y no la Historia, es la maestra de la vida. Pues, como escribe Ganivet, sin ideal no hay conquista apreciable.

También fue un convencido de que la política europea erraba en el deseo de unificación y centralización y en la exaltación de la competencia. De ahí deriva su actitud en contra del concepto de nación (en el fondo no es patriota) y su apoyo al ideal de la «polis autónoma». Así se explica la lucha de su cinismo contra las complicaciones de la civilización: su conformidad a la ley natural y su desprecio hacia la ciencia y la tecnología; su desdén por lo convencional y el ideal del hombre que no se deja vencer por nada contrario a su espíritu; su elogio de la pobreza; y su amor al despotismo. Vemos, entonces, que lo que está en el centro del pensamiento de Ganivet es la nostalgia por una sociedad preindustrial que en el fondo no existía jamás. En su *Epistolario* resume él sus ideas —teñidas del darwinismo— sobre la exaltación del individuo frente a la sociedad y sus conclusiones políticas hostiles a la democracia liberal del siglo XIX: «Para reformar la sociedad hay que reformar al individuo, y a éste sólo se le reforma dejándole que luche sin consideración a los daños que pueda producir a los individuos menos aptos para el combate. En una palabra: la fuerza es superior al derecho, que dijo y practicó Bismarck, con excelente resultado.» Olmedo Moreno, en el libro ya mencionado, nos ofrece un esquema instructivo, a través de los temas de sus obras principales, para comprobar la cohesión del pensamiento de Ganivet: IDEARIUM ESPAÑOL = contra la nación moderna; *Granada la bella* = por la ciudad; *La conquista del reino de Maya* = contra la civilización; *Los trabajos del infatigable creador Pío Cid* = por el hombre moral.

Como características de la obra de Ganivet cabe mencionar sus interpretaciones precipitadas, no siempre fundadas en conocimientos adecuados, o su tendencia a ser demasiado asertivo en su solución sin haber planteado bien el problema; todo ello podría interpretarse como producto de su precipitación para llegar a una síntesis. Notamos, por ejemplo, que al final del IDEARIUM Ganivet nos dice que la regeneración de España vendrá de la recuperación de unas «ideas céntricas», latentes en la sociedad, formuladas por unos «redentores» intelectuales. Pero no especifica cuáles son exactamente estas ideas, aunque suponemos que deben corresponder al espíritu territorial de independencia, ni nos explica cómo se van a poner en práctica. Lo mismo se podría decir de su afirmación de que España nunca ha tenido «un período español puro», que se produce sin definir antes lo que es lo español puro. Es, en gran parte, esta falta de problematismo en su manera de pensar lo que le quita profundidad.

Por otra parte, he aludido al principio al tono lírico que se encuentra en toda la obra de Ganivet, hasta en sus ensayos. Más concretamente, Ganivet mezcla argumentos con símbolos y la lógica con imágenes poéticas y pasiones personales. Si ahora sabemos que *Los trabajos del infatigable creador Pío Cid* es novela mucho más detalladamente autobiográfica de lo que se pensaba, no deja de sorprender al lector el hecho de que los ensayos del IDEARIUM bien pudiesen constituir también, como nos han mostrado los estudios de Herbert Ramsden, una autobiografía espiritual de Ganivet. Primero, las alusiones a experiencias personales para describir el espíritu español son numerosas. Pero es más: la radiografía y diagnóstico de la constitución ideal de España por Ganivet revelan los elementos fundamentales de su propia crisis íntima: su estoicismo personal, su moral de vivir según su conciencia, no dejándose ser influido, su independencia, etc. Resulta, entonces, como ha señalado Javier Herrero (página 249), que la tesis del IDEARIUM de *Noli foras ire, in interiore Hispaniae habitat veritas* se aplica no sólo a la cultura española, al pueblo colectivamente, sino también al individuo español en busca de su salvación espiritual [10].

LAS FORTUNAS DE LA RECEPCIÓN DE «IDEARIUM ESPAÑOL»

Por haberse publicado en Granada en una pequeña editorial desconocida, Viuda e Hijos de Paulino Ventura Sabatel, el IDEARIUM pasó al principio casi desapercibido por la crítica. Sólo las relaciones que Ganivet mantuvo con Santiago Rusiñol y el grupo del *Cau Ferrat* le dieron a conocer en los medios catalanistas. La aparición del IDEARIUM, puesto a la venta en Barcelona a comienzos de septiembre de 1897, hallándose Ganivet en aquella ciudad después de un breve veraneo en Sitges, fue objeto de vivos y contradictorios comentarios en *La Vanguardia* y la prensa catalana. Como se podría esperar, el ensayo de Ganivet fue considerado por algunos como demasiado ideológico, por no tomar en cuenta la importancia de los factores socioeconómicos para la salud de la nación.

Quizás afectado por los comentarios catalanes, el mismo Ganivet hace una autocrítica del IDEARIUM tan pronto como febrero de 1898, en una carta que escribe desde Helsingfors a su amigo granadino de tertulia Rafael Gago: «Pasando a otro asunto, le diré que, a pesar de su insistencia, yo sigo creyendo que el IDEARIUM flaquea precisamente por el lado dogmático. Usted, como buen amigo, mirando con ojos de afecto, encuentra bien, o lo mejor, la parte

---

[10]   *Ídem.*, pág. 249.

afirmativa del libro, porque realmente en España hacen falta afirmaciones más que discusiones, de las que estamos ya más que hartos. Pero quien no me conozca dirá que soy un presuntuoso, puesto que sin nombre ni autoridad para ello me lanzo a dictaminar sobre el espíritu español. Yo quise corregir ese carácter categórico que, dadas mis ideas, debía tener el trabajo, y usted cree que hice mal, y yo estoy conforme con usted, pues no debe mezclarse agua con vino. Pero la mayoría de los lectores creen lo contrario, es decir, que, a pesar de mis esfuerzos, verán excesos de afirmación personal en la obra. Si yo hubiera sido siquiera diputado se me podría tolerar el abuso; pero ¿qué se le va a tolerar a un funcionario desconocido, en un país tan perezoso, en el que no se presta atención más que al que ha logrado ponerse en un sitio muy visible, aunque sea a costa de las mayores bajezas? Si el *Ideario* ha salido a luz no es porque yo confíe en él, sino porque es el prólogo de mis obras, que me ahorra el trabajo de escribir prólogos en las obras que vaya dando luz. Quizá si no me falta la voluntad y si a la voluntad ayuda la cabeza, dentro de veinte años haya hecho algo que me justifique. Hasta entonces no me creo con derecho a nada» [11]. El texto no precisa comentario, pero todo lector debe tomar en cuenta el carácter que aquí da Ganivet al IDEARIUM.

Unamuno se entera de la publicación del IDEARIUM, por lo visto, a través de un colega granadino en Salamanca que le enseña un número de *El Defensor de Granada.* Y el 12 de junio de 1898 sale en *El Defensor* la primera de tres cartas abiertas de don Miguel a Ganivet, sugeridas por la lectura del IDEARIUM, bajo el título de «El porvenir de España».

---

[11] Carta recopilada en *La Cofradía del Avellano: Cartas de Ángel Ganivet,* ed. de Nicolás María López, Granada, Luis F. Pinar Rocha, 1935.

Recordemos que Unamuno había publicado en 1895
los ensayos de *En torno al casticismo,* que tienen
bastante en común con el breviario de Ganivet. Los
dos tratan el «problema de España» en cuanto atañe
a las causas de su decadencia y a medios de regeneración. Los dos identifican el problema como esencialmente psicológico: Unamuno habla del «estado
mental de nuestra patria», y Ganivet, de «la vida espiritual de España». Ambos coinciden en indagar en
la «conciencia colectiva» del país. Y sus conclusiones son también muy parecidas: la sociedad española
sufre de una crisis mental o espiritual; para Unamuno existe una «tendencia disociativa»; para Ganivet,
«una debilitación del sentido sintético»; el uno habla
de «marasmo»; el otro, de «abulia». Su metodología
también se parece por cuanto la «conciencia colectiva» se define por la geografía y la literatura se utiliza para confirmar el carácter nacional.

Pero detrás de este planteamiento parecido existen
unas diferencias importantes. Unamuno encuentra
en los españoles una mentalidad rígida, recortada y
pobre en imaginación, debido al clima y paisaje de
Castilla y a su política dogmática y culturalmente
aislacionista. Ganivet cree que la constitución ideal
española es de espíritu independiente, por ser peninsular el país, espíritu negado por la política exterior
de los Habsburgos y Borbones. Finalmente, Unamuno cree que la regeneración nacional vendrá con
abrir España a las corrientes ideales de afuera («No
dentro, fuera nos hemos de encontrar»); es, pues, en
En torno al casticismo, europeísta. Para Ganivet, en
cambio, España y Europa son distintas debido a la
marcada influencia árabe en el espíritu español; más
conservador, recomienda, por ello, el cierre de España a las influencias extranjeras para purificar la
energía nacional *(«Noli foras ire, in interiore Hispaniae habitat veritas»).*

Se entiende, entonces, por qué Unamuno se inte-

resa especialmente en las meditaciones que su compañero de oposiciones en Madrid hace sobre la
orientación del futuro de España. También se comprende por qué en sus cartas a *El Defensor* discrepa
de algunas interpretaciones culturales e históricas de
Ganivet, sobre todo en cuanto a su defensa del quijotismo y su manera de entender el *Quijote* y su insistencia en una influencia arábiga duradera y decisiva en España. Opina también Unamuno que Ganivet desconoce la esencia de la Reforma; y le critica
su desconocimiento del dogma católico, al confundir
la Concepción Inmaculada con la virginidad de la
madre de Jesús. Ganivet, por su parte, es menos
polémico; parece que compuso sus cinco primeras
cartas, en las cuales elabora sus ideas antieuropeís-
tas, para no desairar a Unamuno. Unamuno, sin
embargo, muy preocupado durante aquellos años
por las realidades españolas a mano, tales como el
movimiento obrero, el regionalismo y la reforma
agraria, contesta con cinco artículos más, en los
que, entre otras cosas, critica el idealismo de Ganivet, haciendo hincapié en la importancia de la organización social y las cuestiones económicas. Los cinco
artículos publicados por Ganivet en *El Defensor,*
que concluyen los textos que se recopilan en 1912
bajo el título de *El porvenir de España,* demuestran
no sólo su fundamental desacuerdo con Unamuno
sobre los problemas actuales de España, sino también su utopismo y su distancia psicológica de la
realidad española de su época.

Pero, sean las que sean sus deficiencias de argumentación y a veces su falta de profundidad intelectual, el IDEARIUM es ambicioso en su comprensiva
interpretación generosa y favorable de los valores
espirituales españoles, así como en el compromiso
hacia una regeneración nacional a través del cultivo
de estos mismos valores frente al materialismo ofrecido por otros países aparentemente más adelanta-

dos. En el fondo, son estas calidades las que admiraba Unamuno y le llevaron a entrar en diálogo con Ganivet. Se explica fácilmente, entonces, cómo la conocida generosidad de Ganivet y su trágico y misterioso suicidio, el 29 de noviembre de 1898, se combinaron con la derrota de España por los Estados Unidos para reclamar la atención sobre su breviario del carácter nacional. Como hemos dicho, uno de los propósitos de Ganivet al escribir el IDEARIUM fue exhortar a su país a que abandonase su expansionismo y buscase una regeneración basada en sus valores perennes espirituales. En momentos históricamente difíciles para España, Ganivet vino a insistir en que la grandeza de España había sido mal entendida e interpretada y subvalorada; que la verdadera importancia de los españoles se encontraba en su ética estoica y sus valores espirituales, independientes de su riqueza y su extensión territorial. Esa ideología estoica podía servir para tranquilizar a un pueblo que acababa de mostrarse incapaz ante potencias más ricas y tecnológicamente más avanzadas. A esta ideología se debe, claro está, la imagen favorable de Ganivet entre la derecha política, donde ha sido considerado uno de los pensadores más importantes de este siglo, y, al mismo tiempo, la poca importancia que daban a sus ensayos —el IDEARIUM inclusive— los intelectuales de tendencia izquierdista que promovían la reforma socio-económica a la vuelta del siglo. Si entre este grupo había entusiasmo por la obra de Ganivet, se reservaba más bien para su novela.

A pesar de las discrepancias ideológicas necesarias, a su muerte aparecieron en *El Imparcial, El Globo* y *Madrid Cómico* apreciaciones entusiastas de su obra —escritas por amigos, notablemente Navarro Ledesma—, y se la llega a conocer por primera vez en Madrid. Rubén Darío comenta en su libro *España contemporánea* (1901) la considerable reputa-

ción de Ganivet entre los intelectuales españoles.
Y en noviembre de 1903, el gran amigo de Ganivet,
Navarro Ledesma, organiza una velada en el Ateneo,
celebrando el quinto aniversario de su muerte, en que
hablan elogiosamente de su obra Azorín y Unamuno,
entre otros. Pero, a pesar de este reconocimiento, Ganivet no se convierte en figura importante en los debates en torno al «problema de España» a principios
del siglo. En este contexto se le cita muy poco durante aquellos años; por la naturaleza de sus escritos, se le consideraba, como hemos dicho, más bien
como un literato. Las palabras de Azorín leídas en
la velada de 1903 —entre las pocas que escribe sobre Ganivet (Azorín no le incluye, por ejemplo, en
sus intentos de definir una generación del 98)— se
dirigen a la psicología de Pío Cid, al espíritu de Ganivet, que Azorín entiende como inquieto y original.

Excepción importante a la desatención prestada al
IDEARIUM entre los hombres del 98 constituye Rafael Altamira, quien le dedica un comentario extenso en su conocido estudio *Psicología del pueblo español* (1902). Altamira fue sin duda alguna uno de los
pensadores de más talento en la España de principios del siglo. Y *Psicología del pueblo español* —uno
de los mejores libros sobre el «problema de España»,
que aún conserva hoy su vigencia— se caracteriza
por una impresionante erudición sobre la filosofía
de la historia, etnografía, sociología y teorías psico-
lógicas sobre la conciencia colectiva. Uno de los
propósitos principales del estudio de Altamira fue
demostrar «la carencia de valor científico de los diversos estudios que pretendían definir el alma española, y más especialmente de los que afirmaban, sin
resquicio de apelación, nuestra incapacidad para la
vida civilizada y, por tanto, para todo renacimiento». Era natural, entonces, que Altamira se dirigiese
al ensayo de Ganivet en un capítulo en que repasa

ideas sobre las características mentales del pueblo español. Su juicio es más bien negativo. Primero, contradice la idea ganivetiana sobre el misticismo y el fanatismo como tendencias genuinamente españolas, debido a la influencia árabe y la larga lucha de la Reconquista. Altamira señala que la mística española, en el Renacimiento, fue importación alemana, y que naciones como Alemania y Francia, ajenas a la lucha de la Reconquista, dieron tantas y más pruebas de fanatismo. Indicación de Ganivet que Altamira encuentra ingeniosa es su explicación de que en España se tiene un elevado concepto de la justicia, pero llama la atención a la contradicción que resulta si se tilda al español como ingobernable o sumiso y fácilmente dirigible. También subraya Altamira que mucho de lo que apunta Ganivet no pasa de ser hipótesis. Y finalmente, Altamira rechaza tajantemente, de manera analítica, los argumentos de los escritores que preconizaban la dictadura como remedio de los males que caracterizaba España en los años siguientes a 1898.

Ortega y Gasset fue más corto y mucho más duro en su crítica de la obra de Ganivet: «Ganivet —del cual tengo una opinión muy distinta de la común entre los jóvenes, pero que me callo por no desentonar inútilmente— leyó un librito, muy malo por cierto, de Th. Ribot, a la moda entonces, se entusiasmó y soltó la especie de *abulia* española»[12]. Menciona a Ganivet de nuevo, en 1910, en «Viaje de España», artículo sobre un libro del crítico de arte alemán Meier-Graefe: «Así, para la inteligencia de la misión española sobre el planeta soy más deudor a Maurice Barrès que a Ganivet, porque éste no logró elevarse a un punto de vista sobrenacional y

---

[12] «Algunas notas», de 1908, *O.C.,* I, pág. 113.

sus opiniones adolecen de una visión provinciana del universo»[13].

En realidad, Ganivet no alcanzó cierta reputación como pensador en España hasta la década de 1920, cuando en algunos medios se interpreta la Primera Guerra Mundial como resultado del colapso de la democracia capitalista, y al mismo tiempo cobra auge el nacionalismo. De entonces, por ejemplo, data el primer estudio serio sobre él, *Vida y obra de Ángel Ganivet* (1925), de Melchor Fernández Almagro, cuyo comentario halagüeño sobre el IDEARIUM destaca favorablemente el nacionalismo ganivetiano. También se le convierte en un posible ideólogo de la dictadura de Primo de Rivera, debido a que sus ideas sobre la dictadura y la superioridad espiritual española —la defensa de la Hispanidad de Maeztu— servirían para justificar el régimen[14]. Buena muestra del interés por Ganivet durante esos años es la publicación, en 1928-1930, de sus *Obras Completas,* en las que gran parte de su obra se reedita por primera vez.

En este contexto de consideración del IDEARIUM como ensayo apologético de la dictadura de Primo de Rivera debemos considerar la crítica más extensa y completa —y la más negativa— sobre el IDEARIUM, la que publicó Manuel Azaña en *Plumas y palabras,* en 1930, ahora recopilada en sus *Obras Completas.* Es un ensayo largo, muy meditado, que representa un compendio de las posibles críticas del texto ganivetiano. Está claro que el motivo de Aza-

---

[13] *O.C.,* I, pág. 529.
[14] Irónicamente, el homenaje de la Universidad de Madrid a los restos repatriados de Ángel Ganivet, el 3 de marzo de 1925, donde se repartió entre los asistentes una carta del exiliado Miguel de Unamuno, se convirtió en una de las primeras confrontaciones con la desastrosa política académica del dictador Primo de Rivera.

ña al redactarlo es desprestigiar a Ganivet como
pensador por razones políticas tanto como intelectuales. Le molesta, parece, el hecho de que «la gloria
póstuma de Ganivet padece un recrudecimiento
eruptivo». Ello representa, según Azaña, «una tragedia intelectual», puesto que Ganivet se muestra
abrumado por los problemas que quiere atacar y las
ideas que quiere elaborar por falto de técnica y de
información y está preso de sugestiones «emocio-
nantes pero deleznables». No se limita Azaña al lenguaje cargado de desprecio para convencernos de la
ligereza de observación, la insuficiencia del análisis,
y los arbitrismos que, fruto tan sólo de una inclina-
ción personal, caracterizan el IDEARIUM. Ganivet
basa sus argumentos en una verdadera letanía de
conceptos y supuestos vagos o equivocados: así, el
supuesto de la virginidad del alma española que
brota de una alegoría equívoca de la vida nacional
simbolizada por la Inmaculada Concepción; «lo español puro» y «el cauce del espíritu español», nunca
definidos; «las glorias exteriores y vanas» de los españoles en América; «el espíritu territorial», irreductible, pero que evoluciona; Velázquez y Lope de
Vega como genios malogrados a consecuencia de la
acción exterior de España; etc.

También le molesta a Azaña que Ganivet, sin tomar las más mínimas precauciones de un historiador, utilice la historia para sacar lecciones de moral
y de psicología. Ignorando el fondo de los sucesos
de los Comuneros, hace Ganivet analogías falsas;
entiende mal las intenciones de los españoles en
América; no llega a distinguir entre lo español y lo
europeo en las acciones e intervenciones durante los
reinados de Carlos I y Felipe II. Así, según Azaña,
Ganivet llega a falsificar para sus propósitos toda la
historia de España de los siglos XVI y XVII.

Más preocupante es, para Azaña, la hostilidad de

Ganivet hacia su siglo y su falta de sensibilidad hacia cuestiones de justicia social. Se pregunta en esta línea cómo se podría fiar la restauración de España al esfuerzo intelectual, tal como hace Ganivet cuando declara que la disparidad de opiniones es políticamente perniciosa, y a la vez propone esta regla de conducta: «Cuando todos los españoles acepten, *bien que sea con el sacrificio de sus convicciones teóricas,* un estado de derecho fijo, indiscutible y por largo tiempo inmutable, y se pongan unánimes a trabajar en la obra que a todos interesa, entonces podrá decirse que ha empezado un nuevo período histórico». «Con palabras más broncas —contesta Azaña— se ha proclamado una regla igual para el gobierno de España en 1923, comienzo de un período histórico. Lástima que Ganivet no haya vivido bastante para aprender —ya que su personal discurso no se lo decía— cómo se obtiene y a qué conduce el sacrificio de las "convicciones teóricas"» [15].

Lo atractivo del IDEARIUM, según Azaña, consiste, en cuanto a su contenido, en el hecho de que Ganivet es generoso y benigno: «el *Idearium* respira amorosa solicitud por las cosas de España, preocupación paternal, más que filial, por sus destinos; no pide cuentas —que sería la actitud del hijo chasqueado y de mal humor, típica en otros escritores de fin de siglo—, advierte, aconseja, señala los tropiezos antiguos, y, cargado de intenciones absolutorias, invita a una reconciliación *in extremis,* debajo de la promesa de renacer a una vida más bella. Y en cuanto a calidad del linaje, difícilmente se hallaría otro tipo de hombre más favorecido por los dioses que el español *sintético* de Ganivet». En lo que se refiere a la índole de la composición, Ganivet infun-

[15] *O.C.,* I, pág. 607.

de en el IDEARIUM, en revelación cuasi poemática, su emoción de contemplarse español[16].

Contra lo que se podría pensar, la figura de Ganivet no se incorpora en los estudios sobre la generación del 98 hasta 1947, con el libro de Laín Entralgo *La generación del noventa y ocho*. Como sabemos, la versión que Laín Entralgo hace del 98 es la de una generación esencialmente contemplativa —no conflictiva—, de soñadores. Según él, los escritores del 98 se caracterizan por su amor amargo a España, por su interés en el acontecer histórico, y el sueño de otra España. IDEARIUM ESPAÑOL —el único texto de Ganivet que Laín comenta— encaja perfectamente, entonces, con el Unamuno contemplativo y la pequeña filosofía de Azorín. La «constitución ideal» de Ganivet, la «intrahistoria» de Unamuno y los «menudos hechos» de Azorín son conceptos historiográficos parecidos, que se derivan todos del krausismo. Y Laín —que en su análisis del texto ganivetiano nunca lo evalúa, limitándose a señalar las ideas principales—[17] destaca el final del IDEARIUM, donde Ganivet atribuye la singularidad psicológica del español a su optimismo y al porvenir soñado. En resumidas cuentas, para Laín, Ganivet se junta con Unamuno y Azorín para constituir las tres figuras cuyas obras mejor definen la generación del 98. Ahora bien, no debe perderse de vista que la defini-

---

[16]   *Ídem.*, págs. 617-618.

[17]   Sin embargo, Laín se pregunta si Ganivet no se había equivocado en su imitación del conocido texto de San Agustín «*Noli foras ire... in interiore homine habitat veritas*». Es decir, la verdad vive en el hombre interior. De haber entendido la frase de San Agustín, Ganivet habría escrito *in interiore Hispania*, en «la España interior», y no *in interiore Hispaniae*, en «el interior de España». Así, Ganivet propugna, tal vez sin darse cuenta, un interiorismo político en vez de un interiorismo contemplativo más consonante con el resto del *Idearium*.

ción especial que Laín y otros hacen de la generación del 98 está condicionada por unas determinantes ideológicas y de índole falangista que obedecen al momento histórico en que redactó su conocido libro.

Dejamos, pues, este repaso de la fortuna de la recepción de IDEARIUM ESPAÑOL, constatando únicamente lo que para nosotros es un hecho: a pesar de su argumentación defectuosa, o de sus varias contribuciones originales a nuestra comprehensión de la historia y cultura españolas, el IDEARIUM es, en su totalidad, un texto que invita sin remedio a una interpretación ideológica.

E. INMAN FOX.

BIBLIOGRAFÍA SELECTA

OBRA DE GANIVET:

Obras Completas, 2 vols., Madrid, Aguilar, 1943; segunda edición, 1951; tercera edición, 1961.

La Cofradía del Avellano: Cartas de Ángel Ganivet, ed. de Nicolás María López, Granada, Luis F. Pinar Rocha, 1935.

Correspondencia familiar de Ángel Ganivet: 1888-1897, ed. de Javier Herrero, Granada, Anel, 1967.

Epistolario (cartas a F. Navarro Ledesma), Madrid, Biblioteca Nacional y Extranjera, 1904, incluido en *Obras Completas.* Otras cartas a Navarro Ledesma, publicadas en la revista *Helios* (1903), que no figuran en *Epistolario,* se encuentran recogidas en un apéndice al libro de Javier Herrero, *Ángel Ganivet: un iluminado,* Madrid, Gredos, 1966.

Juicio de Ángel Ganivet sobre su obra literaria (Cartas inéditas) (cartas a Luis y Fernando Seco de Lucena, editores de *El Defensor de Granada),* ed. y estudio de Luis Seco de Lucena y Paredes, Granada, Universidad de Granada, 1962.

ESTUDIOS CRÍTICOS:

ALTAMIRA, RAFAEL: *Psicología del pueblo español,* Barcelona, 1902.

AZAÑA, MANUEL: «El *Idearium* de Ganivet», en
Obras Completas, México, Ediciones Oasis, 1966,
I, págs. 568-619.

FERNÁNDEZ ALMAGRO, MELCHOR: *Vida y obra de
Ángel Ganivet,* Madrid, Revista de Occidente,
1952.

GALLEGO MORELL, ANTONIO: *Estudio y textos ga-
nivetianos,* Madrid, Consejo Superior de Investigaciones Científicas, 1971.

GALLEGO MORELL, ANTONIO: «Ganivet enjuicia el
Idearium», Arbor, XI, núm. 36 (1948), págs. 482-
484.

GALLEGO MORELL, ANTONIO: *Ángel Ganivet, el excéntrico del 98,* Madrid, Guadarrama, 1974.

GARCÍA LORCA, FRANCISCO: *Ángel Ganivet. Su
idea del hombre,* Buenos Aires, Losada, 1951.

GINSBURG, JUDITH: *Ángel Ganivet,* Londres, Táme-
sis, 1985.

HERRERO, JAVIER: *Ángel Ganivet: un iluminado,*
Madrid, Gredos, 1966.

HERRERO, JAVIER: «El elemento biográfico en *Los
trabajos de Pío Cid»,* en *Hispanic Review,* XXXIV
(1966), págs. 95-116.

HERRERO, JAVIER: «Spain as Virgin: Radical Tradi-
tionalism in Ángel Ganivet», en *Homenaje a Juan
López-Morillas,* Madrid, Castalia, 1982.

JESCHKE, HANS: «Ángel Ganivet. Seine Persönlich-
keit und Hauptwerke», en *Revue Hispanique,*
LXXII (1928), págs. 102-246.

JESCHKE, HANS: *La generación de 1898,* Madrid,
Editora Nacional, 1954.

LAÍN ENTRALGO, PEDRO: Prólogo a *Idearium español,* Madrid, 1942.

LAÍN ENTRALGO, PEDRO: «Visión y revisión del
Idearium español», en *Ensayos y estudios,* II, Ber-
lín, 1940.

LAÍN ENTRALGO, PEDRO: *La generación del noventa
y ocho,* Madrid, Espasa-Calpe, 1947.

MARAVALL, JOSÉ ANTONIO: «Ganivet y el tema de la autenticidad nacional», en *Revista de Occidente,* XI, núm. 33 (1965), págs. 389-409.

MARICHAL, JUAN: *«Ideas picudas, ideas redondas:* Maupassant y Ganivet», en *Nueva Revista de Filología Hispánica,* VIII (1954), págs. 77-79.

MARTÍNEZ RUIZ, JOSÉ; NAVARRO LEDESMA, FRANCISCO; etc.: *Ángel Ganivet* (recopilación de las conferencias leídas en el homenaje a Ganivet, el 29 de noviembre de 1903, en el Ateneo madrileño), Valencia, 1905.

OLMEDO MORENO, MIGUEL: *El pensamiento de Ángel Ganivet,* Madrid, Revista de Occidente, 1965.

RAMSDEN, HERBERT: *Ángel Ganivet's «Idearium español»: A Critical Study,* Manchester, University of Manchester Press, 1967.

RAMSDEN, HERBERT: *The 1898 Movement in Spain: Towards a Reinterpretation with Special Reference to «En torno al casticismo» and «Idearium español»,* Manchester, University of Manchester Press, 1974.

SHAW, DONALD L.: «Ganivet y la aparición de la generación», en *La generación del 98,* Madrid, Cátedra, 1977.

SHAW, DONALD L.: «Ganivet's *España filosófica contemporánea* and the Interpretation of the Generation of 1898», en *Hispanic Review,* XXVIII (1960), págs. 220-232.

SHAW, K. E.: «Ángel Ganivet: A Sociological Interpretation», en *Revista de Estudios Hispánicos,* II (1968), págs. 165-181.

NUESTRA EDICIÓN

Aparte de las ediciones de IDEARIUM ESPAÑOL publicadas en la Colección Austral a partir de 1940, destacan las siguientes:

Granada, Viuda e Hijos de Paulino V. Sabatel, 1897.

Madrid, Victoriano Suárez, 1905. (De esta edición existen varias reimpresiones: 1915, 1923, 1933, 1944.)

Madrid, Librería Francisco Beltrán y Victoriano, 1928 (volumen I de las *Obras Completas* de Ganivet).

Madrid, Ediciones Fe, 1942 (con prólogo de Pedro Laín Entralgo).

En el tomo I de las *Obras Completas* (con estudio preliminar de Melchor Fernández Almagro), Madrid, Aguilar, 1943 (2.ª ed., 1951; 3.ª ed., 1961).

Entre las varias ediciones no hay variantes de importancia. El texto publicado en esta edición se ha establecido mediante el cotejo con la segunda, de 1905, y con la de Aguilar.

Los artículos incluidos en *El porvenir de España* salieron a la luz como unas cartas abiertas entre Unamuno y Ganivet, publicadas en las páginas de *El Defensor de Granada* entre julio y septiembre de 1898. Las contribuciones de Ganivet se publicaron

solas como apéndice a la segunda edición de su
Idearium español, Madrid, 1905; fueron recogidos
juntos los textos de Unamuno y Ganivet por primera vez en un tomo publicado por la Editorial Renacimiento, Madrid, en 1912. Las ediciones posteriores
se basan en la edición de 1912.

IDEARIUM ESPAÑOL

*A don Francisco Ganivet y Morcillo,
padre del autor: artista y soldado*

A

Muchas veces, reflexionando sobre el apasionamiento con que en España ha sido defendido y proclamado el dogma de la Concepción Inmaculada, se me ha ocurrido pensar que en el fondo de ese dogma debía de haber algún misterio que por ocultos caminos se enlazara con el misterio de nuestra alma nacional; que acaso ese dogma era el símbolo, ¡símbolo admirable!, de nuestra propia vida, en la que, tras larga y penosa labor de maternidad, venimos a hallarnos a la vejez con el espíritu virgen; como una mujer que, atraída por irresistible vocación a la vida monástica y ascética y casada contra su voluntad y convertida en madre por deber, llegara al cabo de sus días a descubrir que su espíritu era ajeno a su obra, que entre los hijos de la carne el alma continuaba sola, abierta como una rosa mística a los ideales de la virginidad.

Cuando se examinaba la constitución ideal de España, el elemento moral y en cierto modo religioso más profundo que en ella se descubre, como sirviéndole de cimiento, es el estoicismo; no el estoicismo brutal y heroico de Catón, ni el estoicismo sereno y majestuoso de Marco Aurelio, ni el estoicismo rígido y extremado de Epicteto, sino el estoicismo natural y humano de Séneca. Séneca no es un español, hijo de España por azar: es español por esencia, y no andaluz, porque cuando nació aún no habían venido a España los vándalos; que a nacer más tarde, en la Edad Media, quizá no naciera en Andalucía, sino en Castilla. Toda la doctrina de Séneca se condensa en esta enseñanza: No te dejes vencer por nada extraño a tu espíritu; piensa, en medio de los accidentes de la vida, que tienes dentro de ti una fuerza madre, algo fuerte e indestructible, como un eje diamantino, alrededor del cual giran los hechos mezquinos que forman la trama del diario vivir; y sean cuales fueren los sucesos que sobre ti caigan, sean de los que llamamos prósperos, o de los que llamamos adversos, o de los que parecen envilecernos con su contacto, mantente de tal modo firme y erguido, que al menos se pueda decir siempre de ti que eres un hombre.

Esto es español; y es tan español, que Séneca no tuvo que inventarlo porque lo encontró inventado ya: sólo tuvo que recogerlo y darle forma perenne, obrando como obran los verdaderos hombres de genio. El espíritu español, tosco, informe, al desnudo, no cubre su desnudez primitiva con artificiosa vestimenta: se cubre con la hoja de parra del senequismo; y este traje sumario queda adherido para siempre y se muestra en cuanto se ahonda un poco en la superficie o corteza ideal de nuestra nación. Cuando yo, siendo estudiante, leí las obras de Séneca me quedé aturdido y asombrado, como quien, perdida la vista o el oído, los recobrara repentina e inesperadamente y viera los objetos, que con sus colores y sonidos ideales se agitaban antes confusos en su interior, salir ahora en tropel y tomar la consistencia de objetos reales y tangibles.

Es inmensa, mejor dicho, inmensurable, la parte que el senequismo toca en la conformación religiosa y moral y aun en el derecho consuetudinario de España; en el arte y en la ciencia vulgar; en los proverbios, máximas y refranes, y aun en aquellas ramas de la ciencia culta en que Séneca no paró mientes jamás. Así, por haber tenido nuestro filósofo la ocurrencia genial y nunca bastante alabada y ponderada de despedirse de esta vida por el suave y tranquilo procedimiento de la sangría suelta, ha influido en nuestras ciencias médicas tanto como Hipócrates o Galeno. España sola sobrepuja a todas las demás naciones juntas, por el número y excelencia de sus sangradores. El supremo doctor alemán es el doctor Fausto, y el supremo doctor español es el doctor Sangredo, no obstante haber existido también su rival y famoso congénere el doctor Pedro Recio de Tirteafuera. Y jamás en la historia de la humanidad se dió un ejemplo tan hermoso de estoicismo perseverante como el que nos ofrece la interminable falange de sangradores impertérritos, que durante siglos y siglos se han encargado de aligerar el aparato circulatorio de los españoles, enviando a muchos a la fosa, es cierto, pero purgando a los demás de sus excesos sanguíneos a fin de que pudiesen vivir en relativa paz y calma. Y quién sabe si el descubrimiento de la circulación de la sangre por Servet, que en definitiva es lo único notable que los españoles han aportado a la ciencia práctica de los hombres, no tendrá también su origen en Séneca y en la turbamulta de sus acólitos.

Sin necesidad de buscar relaciones subterráneas entre las doctrinas de Séneca y la moral del cristianismo, se puede establecer entre ellas una relación patente e innegable, puesto que ambas son como el término de una evolución y el comienzo de otra evolución en sentido contrario, ambas se encuentran y se cruzan, como viajeros que vienen en opuestas direcciones y han de continuar caminando cada uno de ellos por el camino que el otro recorrió ya. El término de una evolución filosófica racional, como la grecorromana, es cuando están todas las soluciones agotadas: la empírica y la constructiva, la materialista y la idealista, la ecléctica y la sincrética, la solución negativa o escéptica, y entonces surge la moral estoica, moral sin base, fundada sólo en la virtud o en la dignidad; pero esa solución es transitoria, porque bien pronto el hombre, menospreciando las fuerzas de su razón, que no le conducen a nada positivo, cierra los ojos y acepta una creencia. El término de una evolución teológica, como la del pueblo hebreo, tiene que ser también, cuando ya están agotadas todas las soluciones históricas, esto es, todos los modos de acción, una solución negativa, anarquista diríamos hoy: tal era la que anunciaban los profetas; y entonces debe de surgir una moral que, como la cristiana, condene la acción y vea en ella la causa de los sufrimientos humanos y reconstruya la sociedad sobre la quietud, el desprendimiento y el amor; pero esa moral es transitoria, porque bien pronto el hombre, desengañado de la fe, que le conduce a producir actos negativos, se acoge a la razón, y comienza una segunda evolución que ya no se muestra en actos, sino en ideologías.

Por esto la moral cristiana, aunque lógicamente nacida de la región judaica, era negativa para los judíos, puesto que, dando por terminada su evolución religiosa, les cerraba el horizonte de sus esperanzas y les condenaba a recluirse dentro de una religión acabada ya, perfecta y, por lo tanto, inmutable; así como la moral estoica, fundada legítimamente sobre lo único que la filosofía había dejado en pie, sobre lo que subsiste aún en los períodos de mayor decadencia, el instinto de nuestra propia dignidad, era negativa tanto para griegos como para romanos, porque derivada del esfuerzo racional, pretendía construirlo todo sin el apoyo de la razón, por un acto de adhesión ciega, que andaba tan cerca de la fe como la moral cristiana andaba cerca de la pura razón. Y así, por este encadenamiento natural, el cristianismo encontró el terreno preparado por la moral estoica, la cual había sembrado por el mundo doctrinas nobles, justas y humanitarias; pero carecía de jugo para fertilizarlas. Lo noble, lo justo y lo humanitario, sostenido y amparado sólo por la razón, menos que por la razón por el instinto, no puede ni podrá jamás vencer las pasiones bajas, ruines y animales de la generalidad de los hombres; para encadenar la fuerza irresponsable de los grandes, para domar la furia concentrada por la importancia en los pequeños para ablandar un poco el refinado egoísmo de los medianos, hay que confundirlos a todos, conmoldearlos por medio de un fuego ardiente, que venga de muy alto y que destruyendo construya, y abrasando purifique.

Los que se maravillan de la rápida y al parecer inexplicable propagación del cristianismo, debían de considerar cómo, destruida la religión pagana por la filosofía y la filosofía por los filósofos, no quedaba más salida que una creencia que penetrase, no en forma de símbolos, venidos a la sazón muy a menos, sino en forma de rayo ideal, taladrando e incendiando; y los que se espantan ante el sangriento holocausto de los mártires innumerables, debían de pensar que así como la muerte de Jesús era una condición profética, esencial, necesaria y complementaria de las doctrinas del Evangelio, así también el martirio de muchos cristianos era el único medio eficaz de propaganda. Sin su sacrificio, Jesús hubiera sido un moralista más; y sin el sacrificio de los mártires, el cristianismo hubiera sido una moral más, agregada a las muchas que han existido y existen sin ejercer visible influencia.

Todas las religiones, y en general todas las ideas,

se han propagado y propagan y propagarán en igual
forma; son como piedras que, cayendo en un estan-
que, producen un círculo de ondulaciones de varia
amplitud y de mayor o menor persistencia; el cristianismo cayó desde muy alto, desde el cielo, y por
esta razón sus ondulaciones fueron tan amplias y
tan duraderas. Pero lo más admirable en la propagación del cristianismo no es ni su rapidez ni su intensidad, porque ¿qué admiración puede causar que
en diversos campos, simultáneamente labrados, abo-
nados y sembrados de trigo, nazcan simultáneamente muchas, infinitas matas de trigo? Más admirable
y extraño es que por medio de hábiles injertos nazcan en unos árboles frutos que son propios de otros
árboles, y que las savias, mezclándose y confundién-
dose, regalen el paladar con nuevos y delicados sa-
bores.

Así fue de la moral cristiana, injertada en el
espíritu gentil. Mientras que aparentemente no se
descubre más que una propagación, la del cristianismo, en secreto se efectuaba otra propagación: la de
la filosofía gentílica, cristianizada; y el punto en que
tuvo lugar la conjunción, el injerto, fue la moral estoica. Así, en España, donde era el asiento del estoicismo más lógico, no del más perfecto, del más
humano, el senequismo se mezcla con el Evangelio
de tal suerte, que de nuestro Séneca, si no puede
decirse en rigor que «huele a santo», sí puede afirmarse que tiene todo el aire de un doctor de la
Iglesia.

En España, pues, como en todos los países invadi-
dos por la idea cristiana, el esfuerzo racional acompaña a la propagación evangélica para explicarla y
completarla; pero ese esfuerzo no fue en un principio, como debió ser, un esfuerzo creador: fue un trabajo de rapsodas; en vez de empezar por teorías em-
píricas en relación con la pureza de la nueva fe, los
filósofos cristianos de nuestro mundo, que, aunque

cristianos, seguían viviendo con la sangre heredada
de sus padres gentiles, encontraron más hacedero
concordar con el cristianismo las enseñanzas magistrales de la escuela helénica, y como lo veían todo
ya formando un cuadro perfecto, eligieron como
tontos (y perdónese la llaneza) lo mejor que encontraron, las teorías de los dos grandes luminares del
saber griego: Platón y Aristóteles.

Esa evolución, sin embargo, no fue igual ni pudo
serlo en las diversas provincias del Imperio Romano, porque ni la unidad era tal que hubiera destruido el carácter propio de cada provincia, ni esa unidad pudo mantenerse, después de la predicación
evangélica, el tiempo necesario para dar cohesión a
las tendencias divergentes que por todas partes apun-
taban. Sin contar las herejías, que atacaban la unidad del dogma y que a la larga produjeron las grandes divisiones de la Iglesia, aun en aquellos países
que conservaron invariable lo fundamental de la religión, hubo divergencias nacidas de la variedad de
temperamentos y acentuadas gradualmente, conforme los cambios históricos iban dando vida a nuevos
rasgos característicos y diferenciadores; y España
fue la nación que creó un cristianismo más suyo,
más original, en cuanto dentro del cristianismo cabe
ser original.

Los historiadores aficionados a las antítesis y a
los contrastes pretenden convencernos de que el
cuerpo en quien encarnó el cristianismo fueron los
bárbaros: «a ideas nuevas, hombres nuevos»; el pueblo romano era un viejo decrépito, incapaz de comprender la nueva religión. La verdad es, al contrario, que esa religión no estaba destinada solamente a
sacar a los salvajes de su salvajismo y a los bárbaros
de su barbarie; valía mucho más: valía para regene-
rar hombres cultos, degradados, sí, pero civilizados.
Si los bárbaros hubieran podido moverse con libertad, hubieran dislocado en breve el cristianismo en

numerosas herejías y hubieran concluido por desna-
turalizarlo; porque los bárbaros, al entrar en escena,
se hallaban en un estado social análogo al de los
griegos algunos siglos antes de Homero: como arios
que eran, aunque rezagados, habían ideado ya su
mitología, sus dioses y sus héroes semidivinos, y se
disponían a poner en juego la complicada tramoya.
Nada tan ajeno, pues, a su espíritu y vocación como
el espíritu del cristianismo. La acción de los bárbaros fue material, de disolución política; después de
destruir lo que acaso no fue necesario destruir, quedaron sumergidos en las sociedades que con la fuerza pretendían gobernar, presos en sus propias redes.

La exaltación de la Iglesia española durante la
dominación visigótica es obra de los bárbaros, pero
no es obra de su voluntad, sino de su impotencia.
Incapaces para gobernar a un pueblo más culto, se
resignaron a conservar la apariencia del poder, dejando el poder efectivo en manos más hábiles. De
suerte que el principal papel que en este punto de-
sempeñaron los visigodos fue no desempeñar ninguno y dar con ello involuntariamente ocasión para
que la Iglesia se apoderara de los principales resor-
tes de la política y fundase de hecho el Estado religioso, que aún subsiste en nuestra patria; de donde
se originó la metamorfosis social del cristianismo en
catolicismo, esto es, en religión universal, imperante,
dominadora, con posesión real de los atributos temporales de la soberanía. La ruina del poder godo
tiene su explicación en ese artificio gubernativo; la
dominación visigótica no fue destruida por los africanos, porque éstos no pudieron destruir lo que no
existía ya. El poder teocrático, que luego había de
ser una fuerza valiosísima en la lucha contra los moros, fue en el período gótico la causa de la disolución nacional; porque con los godos era sólo una
cabeza servida por brazos torpes y debilitados,

mientras que en la Reconquista fue cabeza y brazo
a la vez.

En sustancia, el período visigótico, que para los
que se fijan sólo en apariencias es trascendental y
decisivo en la formación de nuestro espíritu religioso, es, a mi juicio, importante sólo de una manera
externa. Durante él, es cierto, la religión adquiere un
formidable poder social, pero se nos muestra demasiado aparatosa y solemne. El sentimiento religioso
no se hace más profundo ni más enérgico; la filosofía es un embrión de filosofía escolástica, sin carácter propio, y la generalización de la cultura sólo da
un resultado, pudiera decirse cuantitativo, y, por lo
tanto, sin relieve, puesto que el influjo social de una
escuela no se mide por el número de sus alumnos ni
por la extensión de sus programas, sino por las inteligencias superiores, originales que produce, así
como la grandeza de una nación no se mide por lo
intenso de su población ni por lo extenso de su territorio, sino por la grandeza y permanencia de su acción en la Historia.

La creación más original y fecunda de nuestro espíritu religioso arranca de la invasión árabe. El espíritu español no enmudece, como algunos piensan,
para dejar el campo libre a la acción: lo que hace es
hablar por medio de la acción. El pensamiento puede ser expresado de muy diversos modos, y el modo
más bello de expresión no es siempre la palabra.
Mientras en las escuelas de Europa la filosofía cristiana se desmenuzaba en discusiones estériles y a veces ridículas, en nuestro país se transformaba en
guerra permanente; y como la verdad no brotaba
entre las plumas y tinteros, sino entre el chocar de
las armas y el hervir de la sangre, no quedó consig-
nada en los volúmenes de una biblioteca, sino en la
poesía bélica popular. Nuestra *Summa* teológica y
filosófica está en nuestro Romancero.

Y lo más original de este modo de expresión fue
que por nacer del choque de dos fuerzas, tenía que
ser reflejo de ambas. Los españoles, al celebrar sus
hazañas, lo hacían con espíritu cristiano, pues que
con él y por él combatían; pero el ropaje de sus conceptos era en gran parte ajustado a la usanza mora. El
espíritu de los árabes llegaba entonces a su apogeo,
y era natural que influyese sobre el de los españoles,
si ya no bastara el contacto de varios siglos y la
guerra misma, que suele ser el medio más eficaz que
tienen los pueblos para ejercer sus recíprocas influencias. De esa poesía popular, cristiana y arábiga
a la vez, arábiga sin que lo arábigo desvirtúe lo cristiano, antes dándole más brillante entonación, nacieron las tendencias más marcadas en el espíritu religioso español: el misticismo, que fue la exaltación
poética, y el fanatismo, que fue la exaltación de la
acción. El misticismo fue como una santificación de
la sensualidad africana, y el fanatismo fue una re-
versión contra nosotros mismos, cuando terminó la
Reconquista, de la furia acumulada durante ocho siglos de combate. El mismo espíritu que se elevaba a
los más sublimes conceptos creaba instituciones formidables y terroríficas; y cuando queremos mostrar
algo que marque con gran relieve nuestro carácter
tradicional, tenemos que acudir, con aparente contrasentido, a los autos de fe y a los arrebatos de
amor divino de Santa Teresa. Al lado de estas creaciones tan originales y vigorosas, nuestra filosofía
doctrinal, imitada de la Escolástica y proseguida con
mucha constancia, pero con escaso genio, pierde
gran parte de su valor. Nos aparece como una obra
de centralización, si así puede decirse; como algo inferior a nuestro temperamento, como creación de la
Iglesia universal, para mantener unidos por la doctrina, complementaria del dogma, los diversos núcleos sociales sometidos a su potestad suprema. No
hay oposición; hay sólo desigualdad de fuerza, y lo

español sobrepuja a lo extraño: primero, por ser nuestro propio y, por consiguiente, más acomodado a nuestro genio; y segundo, por ser más lógico, más en congruencia con el espíritu originario del cristianismo.

* * *

El movimiento de conciliación filosófica iniciado en Alejandría y continuado hasta la edad presente por los escolásticos, parte de un error que pudiera llamarse error de perspectiva, que no afectaba a la esencia de la enseñanza. pero que andando el tiempo había de traer grandes trastornos filosóficos. En vez de crear lentamente una filosofía griega, cuyo espíritu era antagónico del espíritu cristiano, en vez de volar con las alas que les daba la fe, se arrastraron por las bibliotecas; en vez de ser cristianos filósofos, fueron filósofos cristianos; en vez de crear con nuevo espíritu una filosofía nueva, comentaron con nuevo espíritu una filosofía vieja.

La figura más grande de la Escolástica, según el común sentir, es Santo Tomás de Aquino, y, sin embargo, Santo Tomás no es ningún Aristóteles; tiene la traza aristotélica, pero no es un Aristóteles: su filosofía es sabia, prudente, previsora y aun precavida; contiene una legislación minuciosa, utilísima para la vida ordenada de la Iglesia; pero es obra «femenina», carece del arranque viril que marca la verdadera creación. ¿Cuánto más vigorosa no es la figura de San Agustín, que, sin pretender edificar una enciclopedia filosófica, funda la Ciudad ideal, no como organismo huero de sociólogo a la moderna, sino como algo real que funciona, que vive?

El espíritu cristiano no estaba tan necesitado de apoyarse en clasificaciones minuciosas, silogismos, distinciones y sutilezas, como de penetrar en la realidad para iluminarla con nueva luz, para señalar rumbos nuevos. Una cosmología cristiana no debía de ser una clasificación ni una descripción, sino un

cántico donde todos los seres creados se mostrasen
con luz divina, viviendo de un mismo soplo de vida
y de amor, algo así como la *Introducción al Símbolo
de la Fe,* de fray Luis de Granada. Una psicología
cristiana no debía de afanarse demasiado por describir tantos órganos, funciones y operaciones como
convencionalmente se atribuyen a nuestra pobre
alma, sino más bien para mostrarnos un alma en actividad, viviendo como no había vivido ninguna
otra antes de la predicación evangélica, con alma
iluminada y purificada como la de Santa Teresa de
Jesús.

El poder de la metáfora en el mundo es inmenso
y a veces nocivo. Si mezclamos cierta cantidad de
vino con cierta cantidad de agua, decimos que la
mezcla es vino porque tomamos la parte por el
todo; y si la mezcla se echa a perder, no decimos:
esta mezcla se ha echado a perder, sino que decimos: este vino se ha echado a perder; y de rechazo
recae sobre el vino una culpa que debía de recaer
sobre el agua. Esto ocurre con la filosofía escolástica: no es sólo cristianismo; hay en ella filosofía to-
mada de muchos autores; es vino muy aguado que
se ha echado a perder, que se ha torcido, porque
torcerse las ideas es que pierden su acción y su influjo en la vida de los hombres. Pero a pesar de este
fracaso, no se crea que la filosofía cristiana ha
muerto: ha muerto en una forma; pero el principio
subsiste y da vida a nuevas formas, como la especie
humana muere en unos hombres, y nace y se conserva
en otros hombres. El fundamento de la conciliación
está dentro de nosotros; la conciliación la llevamos
de hecho en nosotros mismos. Por lo cual todos, sin
querer o queriendo, somos, en cierto sentido, escolásticos. El criticismo ha desligado la razón de la fe,
el positivismo ha querido desligar el conocimiento
de la razón, el materialismo ha intentado destruir la

base misma del conocimiento. Y todos son escolásticos a su modo. Y si hubiese un sistema que negase al hombre la dignidad humana y le recomendase adoptar de nuevo la estación cuadrúpeda, sería tan escolástico como los precedentes. Porque después de rematar su trabajo negativo, destructor, filosófico, los inventores de esos sistemas, o han de dejar de ser pensadores para convertirse en energúmenos, o han de construir algo para que subsista al menos el orden social exterior; y este acto de afirmación, o es un acto de cobardía, o es un acto de fe o de sumisión al pensamiento común, obra de la fe.

Cuando Kant, con su profundo y sutil análisis, llega a los últimos confines del nihilismo filosófico, no llega más lejos que habían llegado los astutos sofistas de Grecia; no llegó a dejarse atropellar por un carro antes que reconocer la realidad del conocimiento sensible. Lo que diferencia a Kant de los filósofos griegos es que, además de razón pura o negativa, tiene razón práctica o constructiva; y esta razón práctica es la misma razón pura, domada por el cristianismo; es la razón pura sometida por la ley de la atracción al pensamiento colectivo; y el «imperativo categórico», que parece algo íntimo, es sólo un reflejo, en la intimidad de cada espíritu, de un estado social creado por el espíritu cristiano. No hay, pues, medio de escape: podemos alejarnos cuanto queramos del centro ideal que nos rige; podemos describir órbitas inmensas; pero siempre tendremos que girar alrededor del eterno centro.

Los que desde Bacon hasta nuestros días se han esforzado por pulimentar «nuevos órganos» de conocimiento, por seguir nuevos métodos y fundar una ciencia puramente realista y práctica, no han conseguido tampoco formar sistema planetario aparte. Sus trabajos, si realmente han ejercido influencia en los inventos de que se enorgullece nues-

tro siglo, habrán sido útiles; han proporcionado al
hombre ciertas comodidades, no del todo desagra-
dables, como el poder viajar de prisa, aunque por
desgracia sea para llegar adonde lo mismo se llega-
ría viajando despacio. Pero su valor ideal es nulo, y
en vez de destronar a la metafísica han venido a ser-
virla y hasta quizá a favorecerla; querían ser amos y
apenas llegan a criados. El que desdeñando la fe y
la razón se consagra a los experimentos y descubre
el telégrafo o el teléfono, no crea que ha destruido
las «viejas ideas»; lo que ha hecho ha sido trabajar
para que circulen con más rapidez, para que se pro-
paguen con mayor amplitud.

Hallábame yo un día en el Museo de Pintura de
Amberes contemplando me parece que *La Cena,* de
Jordaens, cuando vi llegar en mi busca a mi criada,
una flamenca sana y mofletuda, trayéndome una
chapita de esas que a la entrada de los museos dan
a cambio de los bastones y paraguas. Sin esfuerzo se
habrá comprendido que debí salir de casa con buen
tiempo; que después comenzaría a llover, cosa que
en aquel país ocurre casi todos los días, y que mi excelente maritornes tuvo la atención de llevarme un
paraguas. Así fue, y sucedió también que cuando
salí del Museo había cesado de llover, y me volví
con el paraguas debajo del brazo. Y entonces se me
ocurrió una idea, que ahora ha vuelto a reaparecer
en mi memoria y que me ha parecido venir aquí
muy a cuento. Se me ocurrió que en aquel suceso
vulgarísimo yo había representado, no por méritos
propios, sino por un efecto de perspectiva circuns-
tancial, la fuerza perenne del ideal que está en nosotros, y que mi criada había, sin saberlo, ejercido de
ciencia experimental y práctica. Yo aplaudo a los
hombres sabios y prudentes que nos han traído el
telescopio y el microscopio, el ferrocarril y la nave-
gación por medio del vapor, el telégrafo y el teléfono, el fonógrafo, el pararrayos, la luz eléctrica y los

rayos X: a todos se les debe de agradecer los malos ratos que se han dado, como yo agradecí a mi criada, en gracia de su buena intención, el que se dio para llevarme el paraguas; pero digo también que cuando acierto a levantarme siquiera dos palmos sobre las vulgaridades rutinarias que me rodean, y siento el calor y la luz de alguna idea grande y pura, todas esas bellas invenciones no me sirven para nada.

Para que la filosofía cristiana no sea una fórmula convencional, para que ejerza influencia real en la vida de los hombres, es preciso que arranque de esa misma vida, como las leyes, como el arte: una legislación, un arte cosmopolitas son nubes de verano; y una filosofía universal, como pretendió serlo la escolástica, es contraproducente. Someter a la acción de una ideología invariable la vida de pueblos diversos, de diversos orígenes e historia, sólo puede conducir a que esa ideología se transforme en una etiqueta, en un rótulo, que den una unidad aparente debajo de la cual se escondan las energías particulares de cada pueblo, dispuestas siempre a estallar, y a estallar con tanta más violencia cuanto más largo haya sido el período de forzado silencio. La filosofía más importante, pues, de cada nación es la suya propia, aunque sea muy inferior a las imitaciones de extrañas filosofías; lo extraño está sujeto a alternativas, es asunto de moda, mientras que lo propio es permanente: es el cimiento sobre el que se debe de construir, sobre el que hay que construir cuando lo artificial se viene abajo.

¿Por qué ha de tener en el mundo, y ahora más que nunca, tan gran predicamento la simple exterioridad? Parece que hay miedo de conocer el fondo de las cosas. Estamos dominados por la manía de la unificación, y faltos de calma para encomendar esta obra al tiempo, nos apresuramos a constituir unidades aparentes, contando con la ceguera real o fingida de los que presencian nuestras manipulaciones. Si yo fuera aficionado a los dilemas, establecería uno, digno de hacer juego con el famoso dilema de Omar, que redujo a cenizas la Biblioteca de Alejandría: o los hombres tienden por naturaleza a construir un solo organismo homogéneo, o tienden a acentuar las diferencias que existen entre sus diversas agrupaciones; si creemos que tienden a la unidad, no nos molestemos y tengamos paciencia y fe en nuestra idea; si creemos que tienden a la separación, no cerremos los ojos a la realidad ni marchemos contra la corriente. No faltará quien crea que el dilema tiene una tercera salida: que los hombres no caminan en ninguna dirección, y que hace falta que venga de vez en cuando un genio que les guíe; y es probable que quien tal crea piense ser él mismo el genio predestinado a guiar a sus semejantes como una manada de ovejas. A tan insigne mentecato habría que decirle que no conoce a sus semejantes, que los hombres que creen haber guiado a otros hombres, no han guiado más que cuerpos de hombre; que han conducido cuerpos, pero no almas, que las almas sólo se dejan conducir por los espíritus divinos, y que la humanidad hace ya siglos que tiene seca la matriz y no puede engendrar nuevos dioses.

Las unidades aparentes y convencionales no pueden destruir la diversidad real de las cosas; no sirven más que para encubrirla. La Reforma no fue más que la manifestación de la rebeldía latente en espíritus que acaso no fueron nunca verdaderamente cristianos, que no podían comprender el verdadero sentido del cristianismo, porque no tenían aún el convencimiento propio de la impotencia del esfuerzo racional, y que al proclamar el libre examen eran tan lógicos a su manera como lo eran los herederos del espíritu grecorromano al defender la sumisión ciega y absoluta a la fe. La religión cismática griega fundó asimismo una unidad aparente, en la que quedaron sumergidos los pueblos eslavos; el porvenir dará cuenta de esa unidad. No importa que la autoridad política, armada de terrible poder y fundida con la autoridad religiosa, se esfuerce por conservar el artificio: quienquiera que se ponga en contacto con el pueblo ruso notará la inquietud precursora de la explosión, el deseo universal de romper la espesa costra de religión bizantina que comprime las energías naturales e impide que se muestren con entera pureza y espontaneidad. En nuestros días se trabaja con pasión por convertir a los negros africanos: es posible que en breve se nos diga que ya están todos catequizados, y es posible que al cabo de algunos siglos aparezcan adorando a groseras divinidades, no muy superiores a los fetiches que hoy adoran, y viviendo conforme a sus prácticas nativas.

El verdadero cristianismo, no como aspiración filantrópica en favor de razas inferiores, sino como creencia conscientemente profesada, es impropio de pueblos primitivos, y sólo arraiga en éstos cuando le acompaña la acción permanente de una raza superior, es decir, cuando ese pueblo primitivo se confunde por la vida común y por el cruce con un pueblo civilizado que le domina y le educa, como ocurrió en los pueblos descubiertos y subyugados por España. La universalidad o catolicidad del cristianismo no se opone a esta idea. Todos los hombres son mortales, y, sin embargo, si nos preguntan si es posible que en una ciudad mueran todos sus habitantes a la vez, diremos que no, y lo diremos fundándonos en lo que pudiera llamarse «experiencia del instinto», un género de certeza que Balmes ha analizado con gran precisión. Y si a pesar de esto ocurriera el hecho anormal de morir simultáneamente en masa una población, no admitiríamos tampoco la existencia real de una «muerte simultánea», sino que

explicaríamos la anomalía por una causa excepcional, extraordinaria: por ejemplo, una epidemia. Del
mismo modo, todos los hombres son catequizables;
pero no todos a la vez. Cuando vemos que en los
comienzos del cristianismo los pueblos se convierten
en masa, lo atribuimos a una causa excepcional, y
esta causa fue el estado de postración ideal a que
llegó el espíritu grecorromano.

Sería, pues, muy fecundo, y en ninguna manera
peligroso, romper la unidad filosófica. El espíritu
español ha sido sometido a las más formidables presiones que hayan sido inventadas por el exclusivismo más fanático; y ese espíritu, en vez de rebelarse,
ha reconocido ser él mismo el juez y el criminal, la
víctima y el verdugo, y ha llegado por espontáneo
esfuerzo mucho más allá de donde debía de llegar
por la coacción. Escrita está la *Historia de los heterodoxos españoles* por Menéndez y Pelayo, un español de criterio tan amplio y generoso, que hubiera
sido capaz de hacer estricta justicia hasta a los herejes más empedernidos, si acaso hubiera topado con
algunos en sus investigaciones. Pero no haya temor:
en España no hay un hereje que levante dos pulgadas del suelo. Si alguien ha querido ser hereje ha
perdido el tiempo, porque nadie le ha hecho caso. Si
en muchos asuntos de la vida el hombre ha menester del concurso de la sociedad, en las sectas es de
tal punto decisivo, que la importancia de una disidencia religiosa, más que por el fondo doctrinal, se
mide por el número de sus adeptos. España se halla
fundida con su ideal religioso, y por muchos que
fueran los sectarios que se empeñasen en «descatolizarla», no conseguirían más que arañar un poco la
corteza de la nación.

Pero después de varios siglos de silencio se ha tomado miedo a la voz humana, y se carece de tacto
para apreciar las palabras por su valor, no por el
ruido que mueven; y apenas se da alguna libertad a

los espíritus díscolos e indisciplinados, sobreviene
una grandísima inquietud: no se quiere comprender
que la importancia de lo que dicen no está en lo que
dicen, sino en la excitación que producen a quien les
escucha. Acostumbrados a conservar la unidad de la
doctrina por medio de la fuerza, duele ahora pelear
para conservarla mediante el esfuerzo intelectual,
como si no fuera cierto que la fuerza destruye, a la
vez que las opiniones disidentes, la fe misma que se
pretende defender. Uno de los errores que con más
apariencia de verdad corren por el mundo es que las
naciones adheridas a la Reforma han llegado a adquirir mayor cultura, mayor prosperidad, mayor influencia política que las que han permanecido fieles
al catolicismo. Yo he vivido varios años en Bélgica,
y puedo decir que es una nación tan adelantada
como la que más en todos esos órdenes de cosas en
que hoy se hace consistir la civilización (en la que
por desgracia se concede más importancia a los kiló-
metros de ferrocarril que a las obras de arte); y Bélgica es una nación católica, más católica en el fondo
que España. Pero en Bélgica hay otras confesiones,
y hay además fuertes agrupaciones anticatólicas; los
católicos tienen que estar atentos y vigilantes, tienen
que luchar y luchan con tanto ardor como en los
tiempos del duque de Alba.

La flaqueza del catolicismo no está, como se cree,
en el rigor de sus dogmas: está en el embotamiento
que produjo a algunas naciones, principalmente a
España, el empleo sistemático de la fuerza. Cuanto
en España se construya con carácter nacional, debe
de estar sustentado sobre los sillares de la tradición.
Eso es lo lógico y eso es lo noble, pues habiéndonos
arruinado en la defensa del catolicismo, no cabría
mayor afrenta que ser traidores para con nuestros
padres, y añadir a la tristeza de un vencimiento,
acaso transitorio, la humillación de someternos a la

influencia de las ideas de nuestros vencedores; mas, por lo mismo que esto es tan evidente, no debe de inspirar temor ninguno la libertad. Hoy no puede haber ya herejías, porque el exceso de publicidad, aumentando el poder de difusión de las ideas, va quitándoles la intensidad y el calor necesarios para que se graben con vigor y den vida a las verdaderas sectas. Los que pretenden ser reformadores no pueden crear nada durable: pronto se desilusionan y concluyen por aceptar un cargo público o un empleo retribuido; y estas concesiones no son del todo injustas, porque les recompensan un servicio útil a la nación: el de excitar y avivar las energías genuinamente nacionales, adormecidas y como momificadas. De ellos pudiera decirse que son como las especias: no se las puede comer a todo pasto, pero son utilísimas cuando las maneja un hábil cocinero. Si hubiera modo de traer a España algunos librepensadores mercenarios y varios protestantes de alquiler, quizá se resolvería la dificultad sin menoscabo de los sentimientos españoles; pero, no siendo esto posible, no hay más solución que dejar que se formen dentro de casa y tolerarlos, y hasta, si es preciso, pagarlos.

Siendo yo niño leí el relato horripilante de un suceso ocurrido en uno de estos países cercanos al polo Norte, a un hombre que viajaba en trineo con cinco hijos suyos. El malaventurado viajero fue acometido por una manada de hambrientos lobos, que cada vez le aturdían más con sus aullidos y le estrechaban más de cerca, hasta abalanzarse sobre los caballos que tiraban del trineo; en tan desesperada situación tuvo una idea terrible: cogió a uno de sus hijos, el menor, y lo arrojó en medio de los lobos; y mientras éstos, furiosos, excitados, se disputaban la presa, él prosiguió velozmente su camino y pudo llegar a donde le dieron amparo y refugio. España debe de hacer como aquel padre salvaje y amantísimo; que por algo es patria de Guzmán el Bueno, que dejó degollar a su hijo ante los muros de Tarifa. Algunas almas sentimentales dirán de fijo que el recurso es demasiado brutal; pero en presencia de la ruina espiritual de España, hay que ponerse una piedra en el sitio donde está el corazón. y hay que arrojar aunque sea un millón de españoles a los lobos, si no queremos arrojarnos todos a los puercos.

* * *

El problema más difícil de resolver en el estudio psicológico, en el que han encallado los investigadores y observadores más perspicuos, es el de enlazar con rigor lógico la experiencia interna con los fenómenos exteriores. Hay psicólogos que construyen ideologías peligrosas, erigiendo en principios generales los hechos particulares que notan en su propio espíritu; los hay que forjan fenomenologías sin base, coordinando observaciones puramente objetivas; y los hay tan perspicaces, que funden ambos resultados y explican lo que ven en los demás hombres por los hechos similares que descubren en sí mismos. Y el resultado es siempre incierto, porque a veces dos sujetos psicológicos idénticos producen acciones antagónicas, y dos sujetos antagónicos toman en la vida real idénticas apariencias. Si tomamos como tipo un misántropo, puede ocurrir que lo encontremos en la vida real convertido, ora en un asceta, ora en un demagogo; el carácter psicológico, lo esencial es idéntico: un hombre que carece de apetito sentimental, un refractario que vive aislado en medio del mundo, es como un barco que carece de amarras y no puede tomar puerto. Y, sin embargo, este hombre lo mismo es apto para vivir en la celda de un convento que para agitar las masas populares, sembrando sus ideas, que, faltas de enlace con las ideas comunes, tienen que ser, por necesidad, disolventes. Para mí, dos figuras tan desemejantes como Kempis y Proudhon son psicológicamente idénticas: el uno piensa en silencio, y el otro en medio del tumulto; pero ambos son pensadores solitarios, ambos tienen igual concepto negativo de la vida, bien que el uno lo corrija y dulcifique por medio de la fe, y el otro lo exaspere y lo convierta en arma de destrucción.

En cambio, dos naturalezas al parecer semejantes, como Kempis y el padre Granada, son diametralmente opuestas: Kempis se eleva al ascetismo por la abstracción, es un espíritu ontológico; en cuanto la abstracción no le sostiene, cae en el más descarnado y seco prosaísmo; el padre Granada se eleva al misticismo apoyándose en su conocimiento admirable de la realidad, en su amor positivo a la humanidad viviente; es un espíritu realista, y sus pensamientos son siempre humanos. Del uno podría decirse que es un alma enfermiza, linfática; del otro, que es un alma robusta, sanguínea.

De igual modo, cuando se estudia la estructura psicológica de un país, no basta representar el mecanismo externo, ni es prudente explicarlo mediante una ideología fantástica: hay que ir más hondo y buscar en la realidad misma el núcleo irreductible al que están adheridas todas las envueltas que van transformando en el tiempo la fisonomía de este país. Y como siempre que se profundiza se va a dar en lo único que hay para nosotros perenne, la tierra, ese núcleo se encuentra en el «espíritu territorial». La religión, con ser algo muy hondo, no es lo más hondo que hay en una nación: la religión cambia, mientras que el espíritu territorial subsiste, porque los cambios geológicos vienen tan de tarde en tarde, que a veces nacen y mueren varias civilizaciones sin que el suelo ofrezca un cambio perceptible. Por esto, si la observación se limita a desentrañar el espíritu religioso, o el artístico, o el jurídico, podrá ocurrir que descubra sólo exterioridades, y que deduzca aparentes analogías allí donde, si se atiende al principio generador, existan marcadas oposiciones.

La evolución ideal de España se explica sólo cuando se contrastan todos los hechos exteriores de su historia con el espíritu permanente, invariable, que el territorio crea, infunde, mantiene en nosotros. Como hay continentes, penínsulas e islas, así hay también espíritus continentales, peninsulares e insulares. Los territorios tienen un carácter natural que depende del espesor y composición de su masa, y un carácter de relación que surge de las posiciones respectivas: relaciones de atracción, de dependencia o de oposición. Una isla busca su apoyo en el continente, del que es como una accesión, o reacciona contra ese continente si sus fuerzas propias se lo permiten; una península no busca el apoyo, que ya está por la naturaleza establecido, y reacciona contra su continente con tanta más violencia cuanto más distante se halla del centro continental; un continente es una masa equilibrada, estática, constituida en foco de atracción permanente. La evolución ideal es más rápida en las islas que en las penínsulas, más en éstas que en los continentes, más en los litorales que en el interior; la evolución de un territorio o de los individuos que lo ocupan está en razón directa de su distancia del centro de las unidades territoriales, porque la distancia provoca, con el movimiento de reacción, otro movimiento concordante de excitación espiritual.

Comparando los caracteres específicos que en los diversos grupos sociales toman las relaciones inmanentes de sus territorios, se notará que en los pueblos continentales lo característico es la resistencia, en los peninsulares la independencia y en los insulares la agresión. El principio general es el mismo: la conservación; pero los continentales, que tienen entre sí relaciones frecuentes y forzosas, la confían al

espíritu de resistencia; los peninsulares, que viven
más aislados, aunque no libres de ataques e invasiones, no necesitados de una organización defensiva
permanente, sino de unión en caso de peligro, la
confían al espíritu de independencia, que se exacerba
con las agresiones; los insulares, que viven en territorio aislado con límites fijos e invariables, menos
expuestos, por lo tanto, a las invasiones, se ven im-
pelidos, cuando les obliga a ello la necesidad de acción, a convertirse en agresores. Y no se crea que es
necesario que las agrupaciones sociales tengan conocimientos geográficos para que conozcan la índole
de su territorio: la experiencia histórica acumulada
suministra un conocimiento perfecto. El insular sabe
que tiene su defensa más firme en su aislamiento:
podrá aceptar una dominación extraña si carece de
fuerza para mantener su independencia; pero de hecho es independiente, y sabe además que la fuerza
de caracterización de su suelo insular es tan vigorosa, que si algunos elementos extraños se introducen
en él, no tardarán en adquirir el sentimiento de la
autonomía. En cambio, el continental no confía en
el suelo, que no le ofrece seguridad bastante, y desarrolla más el espíritu de resistencia: podrá ser dominado; pero apoyándose en la fuerza de su carácter,
en la pasividad se mantendrá puro entre sus dominadores. El peninsular conoce asimismo cuál es el
punto débil de su territorio, porque por él ha visto
entrar siempre a los invasores; pero como su espíritu
de resistencia y previsión no ha podido tomar cuerpo por falta de relaciones constantes con otras razas, se deja invadir fácilmente, lucha en su propia
casa por su independencia, y si es vencido se amalgama con sus vencedores con mayor facilidad que
los continentales.

Cuando el espíritu territorial no está aún formado, le suple el espíritu político, esto es, el de ciuda-

danía; y cuando éste llega a tomar cuerpo, se aseme-
ja al insular, porque el hombre que vive en un recin-
to cerrado o amurallado considera que forma como
un cuerpo distinto del territorio. Roma y Cartago
fueron ciudades insulares, su poder agresivo fue tan
grande como escasa su fuerza para resistir. Cartago
sucumbió a un ataque de Roma, y Roma había estado poco antes próxima a sucumbir bajo los ejércitos de Cartago.

La nación insular típica es Inglaterra, y la historia
de Inglaterra, desde que aparece constituida como
nacionalidad, es una agresión permanente. Sus ataques no tienen la misma forma que los de las naciones continentales: son meditados y tan seguros como
los del tigre que está al acecho y se lanza de un salto
sobre su presa. Y esto no es obra de la voluntad:
arranca de la constitución del territorio, de la necesidad de tener grandes fuerzas marítimas y de la facilidad que éstas dan para las agresiones aisladas,
contra las que todas las previsiones y precauciones
son ineficaces. «Yo quisiera ver —ha escrito Cob-
den— un mapa del mundo, según la proyección de
Mercator, con puntos fijos marcados en todos aquellos lugares en que los ingleses han dado alguna batalla; saltaría a la vista que, al contrario de todos
los demás pueblos, el pueblo inglés lucha desde hace
siete siglos contra enemigos extranjeros en todas
partes menos en Inglaterra. ¿Será preciso decir una
palabra más para demostrar que somos el pueblo
más agresivo del mundo?» A esto podría añadirse
que si Inglaterra luchara en su propio territorio, sería vencida más fácilmente que ninguna otra nación.
«Sin el desastre de la *Invencible,* si los tercios españoles ponen el pie en Inglaterra —ha escrito a su
vez Macaulay—, se hubieran repetido los tremendos
desastres de Roma cuando la expedición de Aníbal
a Italia.» Macaulay fundaba su aserto en la superioridad militar de los soldados españoles, pero acaso

sería más justo decir que Inglaterra tenía y tiene en sí la causa de su debilidad para una guerra de resistencia, así como que la impunidad en que constantemente se ha mantenido se explica por la falta de condiciones del continente para una guerra agresiva, en el sentido que se da aquí a la palabra agresión.

Si como ejemplo de nación continental tomamos a Francia, veremos que el sentimiento en ella dominante es el patriótico. En España, considerándonos casi aislados, por lo mismo que somos una casi isla, concentramos nuestro pensamiento en el punto por donde puede venir el ataque, y de esta concentración nace el sentimiento de independencia; somos casi independientes y queremos serlo del todo. Mientras que Francia, que tiene fronteras comunes y movibles con varias naciones, no puede concebir su territorio aislado y no le basta la idea de independencia; por lo cual exalta la idea de patria, que es más resistente para mantener la cohesión, tanto en los momentos de peligro como en tiempo de paz, porque ésta no es en los países continentales un reposo, sino una forma más suave de la guerra, la lucha por el predominio intelectual.

Las guerras de Francia fueron siempre guerras de frontera, defensivas u ofensivas, pero siempre encajadas en el criterio tradicional, formado por la lógica de la Historia; y las primeras guerras de la Revolución fueron sólo guerras defensivas o guerras de expansión ideal; las agresiones no comienzan hasta que aparece Napoleón, quien no sólo era un extranjero que conoció a Francia de un modo puramente objetivo y la utilizó como un instrumento para satisfacer sus ambiciones, según Taine ha sostenido y demostrado, sino que era un insular, más aún, fue una isla que cayó sobre el continente. Cuando se observa sobre un mapa militar el procedimiento estratégico empleado en las guerras napoleónicas (que por algo son llamadas napoleónicas y no francesas), se cae en la cuenta de que Napoleón movía sus ejércitos como si fueran escuadras navales; sus guerras son terrestres de hecho, pero marítimas por la concepción. De aquí el trastorno de Europa, no acostumbrada a este género de combates. Europa lucha contra Napoleón en todas las formas en que es posible luchar: España, con una guerra de independencia; Inglaterra, con ataques aislados y certeros; el continente, con la resistencia, y, por último, Rusia, valiéndose de una retirada. Y es mi sentir que Napoleón pudo, concentrando todas sus fuerzas, asaltar, destruir a Inglaterra y acaso domar a España; pero que no hubiera podido jamás triunfar de la resistencia pasiva de Rusia. El espíritu de Napoleón deja en Francia tan bien marcada su huella, que reaparece en el Segundo Imperio en forma de agresiones absurdas y contrarias a los intereses de Francia, y persiste en la Tercera República en una forma más degenerada aún, las conquistas coloniales, hechas a nombre de un pueblo que no es colonizador, que no puede ir más allá de la dominación política, del protectorado, porque su naturaleza repugna el abandono del suelo patrio.

España es una península, o con más rigor, «la península», porque no hay península que se acerque más a ser isla que la nuestra. Los Pirineos son un istmo y una muralla; no impiden las invasiones, pero nos aíslan y nos permiten conservar nuestro carácter independiente. En realidad, nosotros nos hemos creído que somos insulares, y quizá este error explique muchas anomalías de nuestra historia. Somos una isla colocada en la conjunción de dos continentes, y si para la vida ideal no existen istmos, para la vida histórica existen dos: los Pirineos y el Estrecho; somos una «casa con dos puertas», y, por lo tanto, «mala de guardar», y como nuestro parti-

do constante fue dejarlas abiertas, por temor de que
las fuerzas dedicadas a vigilarlas se volviesen contra
nosotros mismos, nuestro país se convirtió en una
especie de parque internacional, donde todos los
pueblos y razas han venido a distraerse cuando les
ha parecido oportuno; nuestra historia es una serie
inacabable de invasiones y de expulsiones, una guerra permanente de independencia.

Pero así como hay naciones que han luchado sólo
en su territorio o en la proximidad de sus fronteras,
y otras que han luchado sólo en territorios extranjeros y no en el suelo patrio, la nuestra ha peleado en
todas partes, y este hecho, que parece desvirtuar
cuanto llevo dicho acerca del espíritu de nuestro territorio, merece una explicación. Si por naturaleza
no somos agresivos, ¿cómo entender nuestra historia
moderna, en la que España, apenas constituida,
aparece como una nación guerrera y conquistadora?
¿Provendrá esto del error indicado antes, de que nos
hemos creído ser una isla a pesar de los duros escarmientos que nos ha infligido nuestra delicada posición geográfica? Yo creo que ese espíritu de agresión existe, pero que no ha sido más que una transformación del de independencia, y ha de desaparecer
lentamente con las causas que motivaron la transformación.

Un hecho que a primera vista parece inexplicable,
la excesiva duración del poder árabe en España, nos
descubre la causa, sin que pueda ser otra, de tan extraña metamorfosis. Así como la existencia de la
Turquía europea no tiene su razón de ser en la vitalidad propia del pueblo turco, sino en la rivalidad de
las potencias, impotentes cuando se trata de calmar
susceptibilidades y suspicacias, así también la existencia de la dominación arábigo-hispana en su largo
período de descenso está principalmente sostenida
por los celos de nuestras regiones. Se desea acabar
la Reconquista, pero se teme lo que va a venir des-

pués; se trabaja por el triunfo del cristianismo, pero no se descuida otro punto importante: conservar la independencia de los diferentes pedazos de territorio y los privilegios forales. De ahí esa absurda política de particiones constantes de los Estados, inspirada, no en el amor paternal (pues tengo para mí que los reyes de la Edad Media eran más duros de corazón que los del día), sino en las exigencias de las regiones y hasta de las villas, que deseaban campar libremente por sus respetos. A cada paso que se da hacia adelante sigue un alto y una reflexión; todos se miran de reojo, y se comparan y miden a ver si uno ha crecido más que otro y hay que acogotarlo para que se ponga al mismo nivel; raros son los momentos en que, por coincidir en el Gobierno hombres de ideas más audaces, se busca la igualdad luchando, rivalizando en ardor y en esfuerzo. Los pequeños Estados que quedaban encerrados y alejados del campo de la lucha, se aliaban o buscaban el apoyo extranjero, y los que tenían frontera abierta, como fueron últimamente Portugal, Castilla y Aragón, procuraban mantener el equilibrio.

Sin embargo, este equilibrio debía de romperse, y al fin se vio a las claras que Castilla, por su posición central, echaba sobre sí la mayor parte de la obra de Reconquista; y como la preponderancia futura de Castilla era un amago contra la independencia de los demás, nació espontáneamente, como eflorescencia de nuestro espíritu territorial, la idea de buscar fuera del suelo español fuerzas para ser independientes en España. Portugal, Estado atlántico, se transforma en nación marítima y dirige la vista hacia el continente africano, y Aragón, Cataluña y Valencia, Estado mediterráneo, encuentran apoyo en el Mediterráneo y en Italia. Así nace el espíritu conquistador español, que se distingue del de los demás pueblos en que mientras todos conquistan cuando tienen exceso de fuerzas, España conquista sin fuerzas,

precisamente para adquirirlas. Así es como hemos
llegado a ser los conquistadores de la leyenda, los
terribles halcones o aguiluchos del famoso soneto de
los *Trofeos* del poeta hispano-francés José María de
Heredia.

El espíritu conquistador nace en el occidente y en
el oriente de España antes que en el centro, en Castilla, que luego acierta a monopolizarlo; y en cada
región toma un carácter distinto, porque así lo im-
ponía la naturaleza de las conquistas. En Portugal
los conquistadores son navegantes y descubridores;
pero no navegan y descubren por curiosidad, puesto
que les mueve el deseo del dominio. En Cataluña y
Aragón se encuentran trazas de los conquistadores
típicos, principalmente en la célebre expedición contra turcos y griegos, mas el rasgo predominante es la
conquista apoyada por la política y la diplomacia.
«La incorporación de Navarra a la Corona de España —ha dicho Castelar— es un capítulo de Maquiavelo.» Fernando el Católico no es un diplomático improvisado: es un maestro formado en la escuela italiana, y es mucho más astuto que Maquiavelo,
quien en el fondo (y no se vea intención irónica en
mis palabras) era un buen hombre, como hoy diríamos; un excelente patriota, enamorado de la idea de
la unidad de Italia, deseoso de que su patria fuese
grande y fuerte como las demás y convencido de
que su idea no podía realizarse por medios distintos
de los que sus adversarios empleaban. Maquiavelo
ha recogido la odiosidad que acompaña a los pensamientos tortuosos y pérfidos, por haber escrito, sis-
tematizándolo, lo mismo que en su tiempo practica-
ban príncipes tenidos por muy cristianos. Los conquistadores de la parte oriental de España fueron,
pues, los más civilizados, por exigirlo así el medio a
que debían de adaptarse. En Italia aprendimos por
necesidad a ser finos diplomáticos, y en Italia trans-

formamos los guerreros del cerco de Granada en
ejército organizado en la forma más perfecta a que
han podido remontarse nuestras flacas facultades de
organización.

En Castilla, el espíritu conquistador nace del de
rivalidad, apoyado por la religión. La tendencia natural de Castilla era la prosecución en el suelo africano de la lucha contra el poder musulmán, del que
entonces podían temerse aún reacciones ofensivas;
pero interponiéndose Colón, las fuerzas que debie-
ron ir contra África se trasladaron a América. La
organización política dada a la nación por los Reyes
Católicos había de tener como complemento una
restauración intelectual, que diere a las obras del espíritu más amplia intervención en la vida y una restauración de las fuerzas materiales del país, empo-
brecido por las guerras. Mas estas dos obras reque-
rían mucha constancia y mucho esfuerzo: la primera
fue iniciada con brillantez, porque el impulso partió
de los reyes y de los hombres escogidos de que su-
pieron rodearse; pero la segunda, que era más obra
de brazos que de cabeza y más de sudar que de dis-
currir, tenía que descansar sobre los hombros del
pueblo trabajador, el cual, no encontrándose en la
mejor disposición de ánimo para entrar en faena,
acogió con júbilo la noticia del descubrimiento del
Nuevo Mundo, que atraía y seducía como cosa de
encantamiento. Y dejando las prosaicas herramien-
tas de trabajo, allá partieron cuantos pudieron en
busca de la independencia personal, representada
por el «oro»; no por el oro ganado en la industria o
el comercio, sino por el oro puro, en pepitas.

Así, pues, el espíritu de agresión que generalmente
se nos atribuye, es sólo, como dije, una metamorfosis del espíritu territorial: ha podido adquirir el carácter de un rasgo constitutivo de nuestra raza por
lo largo de su duración; pero no ha llegado a impo-

nérsenos, y ha de tener su fin cuando se extingan los
últimos ecos de la política que le dio origen. En la
historia de España sólo aparece un conato de verdadera agresión: el envío de la armada *Invencible* contra Inglaterra; y sabido es que esa aventura, cuyo fin
fue tan desastrado como lógico, no fue obra nuestra
exclusiva: nosotros pusimos el brazo, pero no pusimos el pensamiento, puesto que el interés político o
religioso no abarca todo el pensamiento íntimo de
una nación. El examen de los documentos relativos
a la diplomacia pontificia en España (al que ha dedicado recientemente un concienzudo trabajo un escritor español peritísimo en la materia, don Ricardo
de Hinojosa) pone de relieve que si España tuvo un
momento la idea de agredir a Inglaterra, protectora
y amparadora de los rebeldes flamencos, esa idea
fue alimentada y sostenida y resucitada y subvencio-
nada por la Iglesia de Roma con tanta o mayor insistencia que la empleada para constituir la Liga
contra los turcos, la cual respondía a un pensamiento más justo: el de defenderse contra un poder violento y en auge, peligroso para los intereses de toda
Europa.

Y en nuestra historia interior, siendo como es,
por desgracia, fertilísima en guerras civiles, no existen tampoco guerras de agresión, sino luchas por la
independencia. La unión nace por la paz y en virtud
de enlaces o del derecho hereditario: así se unieron
Aragón y Cataluña, Castilla y Aragón, España y
Portugal. La guerra aparece sólo al separarse: de un
lado se combate por la independencia; del otro por
conservar la unidad, es decir, la legalidad política
establecida; por lo tanto, no hay agresión. Un hecho
como la ocupación de Gibraltar por Inglaterra, sin
derecho ni precedente que lo justifique, por cálculo
y por conveniencia, no existe en nuestra historia.

* * *

Los términos «espíritu guerrero» y «espíritu militar» suelen emplearse indistintamente, y, sin embargo, yo no conozco otros más opuestos entre sí. A primera vista se descubre que el espíritu guerrero es espontáneo, y el espíritu militar, reflejo; que el uno está en el hombre y el otro en la sociedad; que el uno es un esfuerzo contra la organización, y el otro un esfuerzo de organización. Un hombre armado hasta los dientes va proclamando su flaqueza cuando no su cobardía; un hombre que lucha sin armas da a entender que tiene confianza absoluta en su valor; un país que confía en sus fuerzas propias desdeña el militarismo, y una nación que teme, que no se siente segura, pone toda su fe en los cuarteles. España es por esencia, porque así lo exige el espíritu de su territorio, un pueblo guerrero, no un pueblo militar.

Abramos una historia de España por cualquier lado y veremos constantemente lo mismo: un pueblo que lucha sin organización. En el período romano sabemos que Numancia prefirió perecer antes que someterse; pero no sabemos quién hizo allí de cabeza, y casi estamos seguros de que allí no hubo cabeza; buscamos ejércitos y no encontramos más que guerrillas, y la figura que más se destaca no es la de un jefe regular, la de un rey o régulo, sino la de Viriato, un guerrillero. En la Reconquista, habiendo tantos reyes, algunos sabios y hasta santos, la figura nacional es el Cid, un rey ambulante, un guerrillero que trabaja por cuenta propia; y el primer acto que anuncia el futuro predominio de Castilla no parte de un rey, sino del Cid, cuando emprende la conquista de Valencia e intercepta el paso a Cataluña y Aragón. No importa que la conquista no fuera definitiva: basta la intención, el arranque; así, pues, al exaltar la figura del Cid, al colocarla por encima de sus reyes, el pueblo de Castilla no va descaminado. Cuando los que combaten buscan un apoyo en la religión, no se contentan con invocar el auxilio divino, sino que transforman a Santiago en guerrero, y no en general, en simple soldado del arma de caballería. Y esto no es obra exclusiva de la religión, del odio al infiel, puesto que en nuestro siglo, contra los cristianos franceses, Aragón transformó a la Virgen del Pilar en Capitana de las tropas aragonesas.

Cuando la fuerza de los acontecimientos nos obligó a mezclarnos en los asuntos de Europa, el guerrero se convierte en militar; pero nuestras creaciones militares no son organismos complicados: son la compañía y el tercio. Para presentar ante Europa una figura militar de primer orden, tenemos que acudir a un capitán nada más, al Gran Capitán, el creador de nuestro ejército en las campañas de Italia. Y la genialidad de Gonzalo de Córdoba consistió, como ya dije hablando de Séneca, en que no inventó nada, en que no hizo más que dar forma a nuestras ideas. Entonces también había grandes ejércitos, y el Gran Capitán creó la táctica de los que son menores en número: la defensiva combinada con las maniobras rápidas y las agresiones aisladas, esto es, la táctica de guerrillas, medio infalible para quebrantar la cohesión del enemigo, para fraccionarlo y para derrotarlo, cuando ese enemigo confía el éxito a una sola cabeza y anula las iniciativas de los núcleos secundarios, desligados.

Para nuestras empresas de América no fue necesario cambiar nada, y los conquistadores, en cuanto hombres de armas, fueron legítimos guerrilleros, lo mismo los más bajos que los más altos, sin exceptuar a Hernán Cortés. He aquí por qué Europa no ha comprendido nunca a nuestros conquistadores, y los ha equiparado a bandoleros. Mil veces, desde que vivo fuera de España, he oído la eterna acusación, lanzada por sabios e ignorantes, y hasta por los poetas, que suelen tener más ancho criterio para comprender las cosas humanas. Heine, en su *Romancero,* en su torpe leyenda de «Vitzliputzli», llama también a Hernán Cortés «un capitán de bandidos». Y en vez de indignarse, creo que lo procedente es decir que no comprenden a nuestros conquistadores, porque no han podido tenerlos.

Holanda imitó la política de Portugal, y buscó también en la colonización fuerzas que la exigüidad de su territorio no le daba para asegurar su independencia en el continente; pero Holanda contaba ya con medios de acción mucho más perfectos, y como además su espíritu era ya otro, su colonización se transformó en negocio comercial, en algo útil, práctico, sin duda, pero que ya no era tan noble; y esta colonización, así entendida, pasó del continente a Inglaterra, que adquirió luego la supremacía colonial en el mundo; y acaso sería más justo decir que no pasó a Inglaterra, sino a Escocia, puesto que los escoceses, no los ingleses, fueron los iniciadores. En nuestros días, Bélgica, o mejor, el rey de los belgas, ha emprendido la misma política (la cual puede ser peligrosa si, sacando al país de su neutralidad, no le diera los medios para sostener por cuenta propia lo que hoy está sostenido por el acuerdo de las naciones); pero esta política, que desde luego es noble y generosa, está apoyada también en el comercio y en la acción militar regular, no en el espíritu conquistador; que no son conquistadores quienes sirven un breve período de tiempo en una colonia por obtener riquezas u honores, sino quienes conquistan por necesidad, espontáneamente, por impulso natural hacia la independencia, sin otro propósito que demostrar la grandeza oculta dentro de la pequeñez aparente. Y tan conquistadores como Cortés o Pizarro son Cervantes, preso en Argel y comprometiéndose en una rebelión por España, y San Ignacio de Loyola, otro oscuro soldado que con un puñado de hombres acomete la conquista del mundo espiritual. Cuando Europa, pues, habituada a la acción regular de la milicia y del comercio, ve a unos cuantos aventureros lanzarse a la conquista de un gran territorio, no pudiendo o no queriendo comprender la fuerza ideal que los anima, los toma por salteadores de caminos, e interpreta las crueldades que por acaso cometan, no como azares del combate, sino como revelación de instintos vulgares, sanguinarios, sin fijarse en que sin esos héroes tan mal juzgados, de quienes puede decirse que fueron los roturadores del mundo colonial, no hubieran venido después los que sembraron y recogieron, los que, no contentos con sacar la utilidad del trabajo ajeno, pretenden recabar para sí toda la gloria.

Tales errores de juicio responden a una hipocresía sistemática en que hoy todos nos complacemos, a una ceguedad intencionada o voluntaria de que todos padecemos. Unimos el efecto a la causa sólo cuando uno y otra están ya unidos de un modo natural y no hay medio de separarlos. Un ejército que lucha con armas de mucho alcance, con ametralladoras de tiro rápido y con cañones de grueso calibre, aunque deje el campo sembrado de cadáveres, es un ejército glorioso; y si los cadáveres son de raza negra, entonces se dice que no hay tales cadáveres. Un soldado que lucha cuerpo a cuerpo y que mata a su enemigo de un bayonetazo, empieza a parecernos brutal; un hombre vestido de paisano que lucha y mata, nos parece un asesino. No nos fijamos en el hecho, nos fijamos en la apariencia.

Nuestra sociedad desprecia y maltrata al prestamista y admira y ennoblece al banquero. ¿Por qué? Porque el prestamista se pone en contacto con su clientela, y el banquero trabaja en grande escala, valiéndose con frecuencia del telégrafo y del teléfono. Nos irrita que el prestamista lleve un tanto por ciento exagerado, porque la víctima sabe quién hace el mal, y al quejarse nos dice el nombre del usurero; nos maravilla que un bolsista gane un millón en una jugada hábil, porque las víctimas no le conocen, y al caer en la ruina, quizá al acudir al suicidio, no pueden decir quién ha abusado de su torpeza o de su ignorancia.

Yo he vivido en países donde el crédito está admirablemente organizado; donde no hay apenas capital inactivo, pues todo él está en manos que lo hacen fructificar. Hay combinaciones variadísimas para que los trabajadores puedan ahorrar, obteniendo intereses desde una peseta en adelante; para que los niños puedan ahorrar desde un sello de a céntimo, a fin de que desde pequeños vayan adquiriendo hábitos de economía. Todo esto está muy bien. Pero no he vivido en ningún país donde, en caso de apuro, una familia pobre (que en todas las partes las hay) saque más partido que en España de una camisa vieja o de unos calzoncillos usados. Nos superan en el crédito negativo, que es el de recoger; pero se quedan muy por bajo en el positivo, que es el de dar. Nuestro crédito también se organiza en guerrillas, y los prestamistas son los guerrilleros. Su acción es individual, y por esto, como dije, es más irritante; pero su malicia está encauzada por la misma estrechez de su círculo de operaciones: conforme este círculo se agranda, aumenta, sin duda, la cuantía de las empresas hasta llegar a las obras colosales, de las que se dice que son las «maravillas del crédito»; pero la maldad crece en la misma proporción y las catástrofes también son colosales y maravillosas.

Yo no diré así, en absoluto, esto es mejor que aquello; en absoluto sólo puede decirse que ambas cosas son malas. No me gusta la propiedad individual ni la colectiva, pero la comprendo aliada con el amor: un hombre que posee una casa y la ama, porque en ella nació y piensa morir, es un propietario útil; un hombre que construye casas y las posee sólo hasta que logra venderlas con beneficio, es un propietario perjudicial, pues si le dejan será capaz de construirlas tan frágiles que se hundan y aplasten a los pobres inquilinos. Todo el progreso moderno es inseguro, porque no se basa sobre ideas, sino sobre la destrucción de la propiedad fija en beneficio de la propiedad móvil; y esta propiedad, que ya no sirve sólo para atender a las necesidades del vivir, y que en vez de estar regida por la justicia está regida por la estrategia, ha de acabar sin dejar rastro, como acabaron los brutales imperios de los medos y de los persas.

Nuestro desprecio del trabajo manual se acentúa más de día en día, y, sin embargo, en él está la salvación; él solo puede engendrar el sentimiento de la fraternidad, el cual exige el contacto de unos hombres con otros. Así, la guerra civilizada, que parece más noble porque coloca a gran distancia a los que matan y a los que mueren, es una guerra profundamente egoísta y salvaje, porque impide que se muestre la piedad: el que lucha desde lejos, mata siempre que acierta a matar; el que lucha cuerpo a cuerpo unas veces mata y otras veces se compadece y perdona. Los españoles son tenidos por guerreros duros y crueles, y acaso sean los que han ofrecido más ejemplos de piedad y de magnanimidad, no porque sean más magnánimos y más piadosos, sino porque han peleado siempre muy cerca del enemigo.

Para valerme de una demostración más vulgar y, por lo tanto, más enérgica, compararé al zapatero de portal con el fabricante de zapatos. Si pregunto cuál de los dos es más meritorio en su oficio, se me dirá que el fabricante, porque éste trabaja en grande escala, con mayor delicadeza y elegancia y acaso a más bajo precio. Yo estoy por el zapatero de portal, porque éste trabaja sólo para unos cuantos parroquianos y llega a conocerles los pies y a considerar estos pies como cosa propia; cuando hace un par de botas, no va sólo a ganar un jornal: va a afanarse cuanto pueda para que los pies encajen en las botas perfectamente, o cuando menos con holgura; y esta buena intención basta ya para levantarle a mis ojos muy por encima del fabricante, que mira sólo a su negocio, y del obrero mecánico, que atiende sólo a su jornal. Venimos, pues, a la misma conclusión que cuando hablábamos del propietario: hay un obrero socialmente útil, el que trabaja y ama su obra, y un obrero perjudicial, el que trabaja por instinto utilitario. Esto no lo dice sólo la cabeza: meditando un poco sobre el caso del zapatero, paréceme que hasta nuestros pies se pondrían de parte de la ya casi extinguida descendencia de San Crispín, quien no trabajó nunca en ninguna fábrica, ni hubiera llegado a santo si hubiera sido fabricante.

Siempre que en España surge un conflicto que demanda ser resuelto por la fuerza de las armas, presenciamos el espectáculo de la insubordinación de todas las clases sociales, deseosas de suplir la acción del Estado, en la que no se tiene absoluta confianza, y de tomar sobre sí la dirección de la guerra. Y los hombres sensatos condenan duramente esas iniciativas, claman contra el desequilibrado espíritu nacional y piden poco menos que un silencio religioso y solemne para que el ejército cumpla su misión con entero desembarazo. Esto es lógico, es científico y no es español. Si fuera posible destruir las anomalías de nuestro carácter, habría en el acto que suplirlas con un militarismo tan desenfrenado como el que hoy consume a las naciones del continente. Cuando todo el mundo aumenta su poder militar de una manera formidable, sólo dos naciones se mantienen refractarias: Inglaterra, enemiga por tradición de los grandes ejércitos, tiene sólo un ejército organizado según sus propias ideas y apropiado a las necesidades de su política; España confía la salvaguardia de su independencia al espíritu del territorio, y cuenta con fuerzas suficientes para sostener el orden interior; no posee siquiera un ejército colonial, a pesar de ser una nación colonizadora. Y acaso las dos naciones que puedan mirar con más seguridad el porvenir sean España e Inglaterra, porque la una tiene su apoyo más firme en el carácter nacional y en el aislamiento, y la otra en su situación insular y en sus fuerzas navales.

Si fuese posible, pues, destruir nuestro espíritu territorial y confiar nuestros intereses a un ejército numeroso y disciplinado, nuestra independencia, hoy indiscutible, estaría constantemente amenazada. He aquí que hemos organizado un ejército de cien mil hombres, más aún, de quinientos mil: supongamos que todos esos hombres obedecen a una sola cabeza, y supongamos, que ya es suponer, que hay una cabeza para dirigir a todos esos hombres. Esa masa militar recibe el choque del enemigo, que viene por el Norte, y como es tres o cuatro veces inferior en número, vemos con dolor que, en virtud de los principios del arte moderno de la guerra, queda derrotada, aplastada, como los franceses en Sedán. ¿Qué hacer? ¿Dejar que el enemigo disperse los restos de nuestro ejército derrotado, sitie a Madrid y lo tome, si así le parece conveniente; firmar luego un tratado por el que se nos sangre y se nos mutile, y quedarnos contentos porque se nos dice que nuestra derrota se ajusta a los preceptos que hoy recomienda la civilización? Si la guerra hubiera de ser no más que una lucha científica de dos cabezas que jugaran con las masas de hombres como se juega en la Bolsa con los capitales, bastaría conocer los censos de población para que los menos se humillasen ante los más, para que una nación de quince millones de habitantes se considerara virtualmente vencida por otra de treinta o cuarenta. Ante la idea de esta esclavitud brutal, bien que bajo apariencias civilizadas, toda alma noble e independiente se subleva y busca el remedio en la acción individual, y se defiende con arreglo a otra táctica que equilibre las fuerzas desiguales; y el arte militar acude a este deseo, y así como da reglas para regir grandes masas, da también reglas para destruir esas grandes masas.

Véase, pues, cómo una idea que parece vaga e inaprisionable como la del espíritu del territorio, lleva en sí la solución de grandes problemas políticos. Nosotros queremos tener ejércitos iguales a los del continente, y nuestro carácter pide, exige, un ejército peninsular. El soldado continental comprende la solidaridad, y se siente más valiente y animoso cuando sabe que con él van contra el enemigo uno o dos millones, si es posible, de compañeros de armas. El soldado peninsular se encoge y se aflige y como que se ahoga cuando se ve anulado en una gran masa de tropas, porque adivina que no va a obrar allí humanamente, sino como un aparato mecánico. El número da al uno fuerzas y al otro se las quita. En cambio, si sobreviene un desastre a cualquiera de los grandes ejércitos de Europa, la desmoralización es casi instantánea, porque la fuerza principal no estaba dentro de los soldados, sino en la cohesión que se rompe y en la confianza que desaparece; y un ejército español renace una y cien veces como un fénix, porque su fuerza constitutiva era el espíritu del soldado, y ese espíritu no cuesta nada: lo da gratuitamente la tierra.

Por dondequiera que echemos a andar por los caminos de España, nos saldrá al paso la eterna esfinge con la eterna y capciosa pregunta: ¿es mejor vivir como hasta aquí hemos vivido, ayer cargados de gloria, hoy hundidos y postrados, mañana de nuevo en la prosperidad y siempre organizados al modo bohemio, o conviene romper definitivamente con las malas tradiciones, convertirnos en nación a la moderna, muy bien ordenada y equilibrada? Ni esto ni aquello. No debemos cruzarnos de brazos y dejar que hasta lo que es virtud se transforme en causa de menosprecio y de escarnio; hay que tener una organización, y para que ésta no sea de puro artificio, para que cuaje y se afirme, ha de acomodarse a nuestra constitución natural. Aunque parezca extraño a primera vista, una organización de ese género es tan hacedera, está tan al alcance de la mano, que no requiere ningún esfuerzo de imaginación, ni largas meditaciones, ni complicados razonamientos. Lo lógico sale al paso, y si no lo vemos muchas veces, es porque estamos distraídos buscando soluciones caprichosas.

Organizar un ejército que sirva a la vez para una guerra a la moderna y para una guerra a la española, parece obra de romanos. Y no obstante, esa obra estuvo ya realizada en nuestra época de apogeo militar: basta, para resucitarla, constituir los pequeños núcleos o unidades de combate con tal solidez y vigor, que lo mismo sirvan para formar unidos un ejército regular, que separados, en caso de dislocación, para formar centros de suprema resistencia. Un ejército español no puede prescindir del espíritu guerrero individual de los habitantes del territorio: ha de contar con él y ha de apoyarse, en caso extremo, sobre él; sus unidades de combate no deben de ser organismos «técnicos» solamente, sino reducciones de la sociedad plena y entera. Hay que prescindir de organizaciones artificiales, imitadas de los triunfadores del día o de la víspera, y atenerse a lo que las necesidades propias exigen, sin fijarse en lo que hagan los demás. La imitación de lo extraño tiene que concretarse a los detalles, a todo aquello que sea progreso efectivo y encaje bien dentro de la concepción nacional; pues a veces, lo que en otro país

es cuestión de primer orden, en el nuestro es menos
que de segundo o tercero, y lo que es útil, inútil y
hasta perjudicial, por falta de concordancia con lo
esencial de nuestra organización.

En un ejército continental lo más importante es la
movilización de las grandes masas, con rigor matemático, con la precisión de un mecanismo perfecto;
lo secundario es la función de cada unidad de combate: en un ejército español la movilización, con ser
de tan alta trascendencia, es lo secundario, y lo
principal es la función desligada de las compañías,
las cuales por esto mismo han de ser un reflejo y un
compendio de la nación, de todas las clases sociales,
de lo actual y de lo tradicional, de lo que la nación
fue y es y desea ser. El mejor ejército español no
será aquel que cuente con muchos soldados, sometidos a una sola cabeza, sino aquel que se componga
de compañías que se muevan como un solo hombre
y que tengan, como el dios Jano, dos caras: una mirando al campo, donde se libran las batallas regulares, y otra a la montaña, donde se encuentra un último y seguro refugio para defender la independencia
nacional.

* * *

Contados son los libros donde no se emplea la
alegoría de la nave como símbolo de las cosas humanas. No hay medio de escapar de tan manoseado
tópico, porque las ideas que nos vienen al espíritu
cuando vemos una nave flotando sobre las aguas
son las que más claramente revelan nuestra concepción universal y armónica de la vida. Yo vivo en
una casa rodeada de árboles, junto al mar. A veces
veo en el lejano horizonte la forma indecisa de un
barco que surge entre el mar y el cielo, como porta-
dor de mensajeros espirituales; después comienzo a
distinguir el velamen y la arboladura; luego, el casco
y algo confuso que se mueve; más cerca, las manio-

bras de los tripulantes; por fin veo entrar el barco en el puerto y arrojar por las escotillas sobre el muelle la carga multiforme que lleva escondida en su enorme buche. Y pienso que así se nos presentan también las ideas, las cuales comienzan por un destello divino que, conforme toma cuerpo en la realidad, va perdiendo su originaria pureza, hasta hundirse y encenagarse y envilecerse en las más groseras encarnaciones. Por un instante que el alma se deleite en la contemplación de una idea que nace limpia y sin mancha entre las espumas del pensamiento, ¡cuánta angustia después para hacer sensible esa idea en alguna de las menguadas y raquíticas formas de que nuestro escaso poder dispone, cuánta tristeza al verla convertida en algo material, manchada por la impureza inseparable de lo material!

Si esto puede decirse de todas las ideas, aplícase con más rigor que a las demás a la idea de justicia: nada existe que parezca venir de tan alto, y nada existe que descienda tan bajo; nada hay que se presente más simple y más puro, y nada hay que tome aspecto más impuro, ni más grosero, ni más inhumano.

El espíritu jurídico de un país se descubre observando en qué punto de la evolución de la idea de justicia se ha concentrado principalmente su atención. Porque los códigos poco valen; tienen sólo un valor objetivo; han de ser interpretados por el hombre. No basta decir que España se rigió por leyes romanas, y luego por leyes romanas y germánicas, y luego por una amalgama de éstas y de los principios jurídicos que el progreso fue introduciendo en las antiguas legislaciones; porque si se miran las cosas de cerca, ha existido y existe, por encima de todo ese fárrago de leyes reales, una ley ideal superior, la ley constante de interpretación jurídica, que en España ha sido más bien de disolución jurídica.

España no ha tenido nunca leyes propias: le han sido impuestas por dominaciones extrañas, han sido hechos de fuerza. Así, cuando durante la Reconquista se relajaron los vínculos jurídicos, desapareció la unidad legislativa y casi pudiera decirse que hasta la ley, puesto que los fueros con que se las pretendía sustituir sistemáticamente llevaban en sí la negación de la ley. El fuero se funda en el deseo de diversificar la ley para adaptarla a pequeños núcleos sociales; pero si esta diversidad es excesiva, como lo fue en muchos casos, se puede llegar a tan exagerado atomismo legislativo, que cada familia quiera tener una ley para uso particular. En la Edad Media nuestras regiones querían reyes propios, no para estar mejor gobernadas, sino para destruir el poder real; las ciudades querían fueros que las eximieran de la autoridad de esos reyes ya achicados, y todas las clases sociales querían fueros y privilegios a montones; entonces estuvo nuestra patria a dos pasos de realizar su ideal jurídico: que todos los españoles llevasen en el bolsillo una carta foral con un solo artículo, redactado en estos términos breves, claros y contundentes: «Este español está autorizado para hacer lo que le dé la gana.»

Un criterio jurídico práctico se atiene a la legislación positiva y acepta de buen grado las desviaciones que la idea pura de justicia sufre al tomar cuerpo en instituciones y leyes; un criterio jurídico idealista reacciona continuamente contra el estado de derecho impuesto por la necesidad y pretende remontarse a la aplicación rigurosa de lo que considera que es justo. El primer criterio lleva al ideal jurídico de la sociedad, a la aplicación uniforme, acompasada, metódica, de las leyes; el segundo lleva al ideal jurídico del hombre cristiano a regirse por la justicia, no por la ley, y a aplacar después los rigores de la justicia estricta por la caridad, por el perdón generosamente concedido.

Como en la filosofía, en el derecho hubo también ilustres rapsodas que convirtieron el derecho pagano en cristiano a fuerza de zurcidos habilísimos, pero conservándole como fundamento invariable la idea romana, la fuerza, en pugna con la idea cristiana, el amor. Duele decirlo, pero hay que decirlo porque es verdad: después de diecinueve siglos de apostolado, la idea cristiana pura no ha imperado un solo día en el mundo. El Evangelio triunfó de los corazones y de las inteligencias; mas no ha podido triunfar de los instintos sociales, aferrados brutalmente a principios jurídicos que nuestros sentimientos condenan, pero que juzgamos convenientes para mantener el buen orden social, o en términos más claros, para gozar más sobre seguro de nuestras vidas y de nuestras haciendas.

Existe, pues, una contradicción irreductible entre la letra y el espíritu de los códigos, y por eso hay naciones donde se profesa poco afecto a los códigos, y una de esas naciones es España. Las anomalías de nuestro carácter jurídico son tales, que permiten a veces suponer a quien nos observa superficialmente que somos una nación donde todas las injusticias, inmoralidades, abusos y rebeldías tienen su natural asiento. No hay pueblo cuya literatura ofrezca tan copiosa producción satírica encaminada a desacreditar a los administradores de la ley, en que se mire con más prevención a un tribunal, en que se ayude menos la acción de la justicia. ¿Qué digo ayudar? Más justo es decir que se entorpece y burla, si es posible, la acción de la justicia. Es algo muy hondo que no está en nuestra mano arrancar: yo he estudiado leyes y no he podido ser abogado, porque jamás llegué a ver el mecanismo judicial por su lado noble y serio; y esto le ocurre a muchos en España, a todos los que, como yo, estudian sin abandonar por completo el trabajo manual, sin perder el contacto con el obrero o con el campesino. Mientras un español permanezca ligado a las clases proletarias, que son el archivo y el depósito de los sentimientos inexplicables, profundos, de un país, no puede ser hombre de ley con la gravedad y aplomo que la naturaleza del asunto requiere.

Un día se me acercó un hombre del pueblo para preguntarme: «Usted que es abogado, ¿no quiere decirme qué pena corresponde a quien ha hecho tal cosa de este modo o bien de aquel modo? Porque me citan como testigo en tal causa, y no quiero ir a ciegas sin saber si hago bien o mal.» Ese hombre es el testigo español; el cual declara, no lo que sabe, sino lo que previamente adiestrado comprende que ha de conducir a la imposición de la pena que él cree justa. No es que desconfíe de la interpretación imparcial e inteligente de los jueces, porque no los juzgue inteligentes e imparciales o porque éstos sean menos dignos que los de otros países donde se siguen prácticas diferentes: es que no quiere abdicar en manos de nadie. La rebeldía contra la justicia no viene de la corrupción del sentido jurídico; al contrario, arranca de su exaltación. Y esta exaltación tiene dos formas opuestas, que acaso vengan a dar en un término medio de justicia superior al que rige allí donde la ley escrita es estrictamente aplicada.

La primera forma es la aspiración a la justicia pura; lo casuístico desagrada, y las excepciones enfurecen; se desea un precepto breve, claro, cristalino, que no ofrezca dudas, que no se preste a componendas ni a subterfugios, que sea riguroso, y si es preciso, implacable. Cuando un hombre adquiere una personalidad bien marcada y cae en las garras de la crítica social, ha de ser impecable, incorruptible, perfecto y hasta santo, y aun así el quijotismo jurídico hallará dónde hincar el diente, dónde herir.

¡Cuántas cosas que en España son piedra de escándalo y que pregonadas a gritos nos rebajan y nos desprestigian, he visto yo practicadas regularmente en otros países de más anchas tragaderas!

La segunda forma es la piedad excesiva que pone en salvar al caído tanto o más empeño que el que puso para derribarlo; por lo cual, en España no puede haber moralizadores, es decir, hombres que tomen por oficio la persecución de la inmoralidad, la corrección de abusos, la «regeneración de la patria». El espíritu público les sigue hasta que llegan al punto culminante: el descubrimiento de la inmoralidad; pero una vez llegado allí, sin gradaciones, sin que haya, como se cree, desaliento ni inconstancia, da media vuelta y se pone de parte de los acusados; de suerte que si los paladines de la moralidad no se paran a tiempo y pretenden continuar la obra hasta darle remate y digno coronamiento, se hallan frente a frente del mismo espíritu que al principio les alentó.

Este dualismo, que bajo apariencias de desorden jurídico, lamentado por las inteligencias vulgares, encubre la idea más noble y alta que haya sido concebida y practicada sobre la humana justicia, es una creación del sentimiento cristiano y de la filosofía senequista en cuanto ambos son concordantes. El estoicismo de Séneca no es, como vimos, rígido y destemplado, sino natural y compasivo. Séneca promulga la ley de la virtud moral como algo a que todos debemos encaminarnos; pero es tolerante con los infractores: exige pureza en el pensamiento y buen propósito en la voluntad, mas sin desconocer, puesto que él mismo dio frecuentes tropezones, que la endeblez de nuestra constitución no nos permite vivir en la inmovilidad de la virtud, que hay que caer en inevitables desfallecimientos, y que lo más que un hombre puede hacer es mantenerse como tal

hombre en medio de sus flaquezas, conservando
hasta en el vicio la dignidad.

El entendimiento que más hondo ha penetrado en
el alma de nuestra nación, Cervantes, percibió tan
vivamente esta anomalía de nuestra condición, que
en su libro inmortal separó en absoluto la justicia
española de la justicia vulgar de los códigos y tribu-
nales: la primera la encarnó en don Quijote y la segunda en Sancho Panza. Los únicos fallos judiciales
moderados, prudentes y equilibrados que en el *Quijote* se contienen son los que Sancho dictó durante
el gobierno de su ínsula; en cambio, los de don Quijote son aparentemente absurdos, por lo mismo que
son de justicia trascendental: unas veces peca por
carta de más y otras por carta de menos; todas sus
aventuras se enderezan a mantener la justicia ideal
en el mundo, y en cuanto topa con la cuerda de galeotes y ve que allí hay criminales efectivos, se apre-
sura a ponerlos en libertad. Las razones que don
Quijote da para libertar a los condenados a galeras
son un compendio de las que alimentan la rebelión
del espíritu español contra la justicia positiva. Hay,
sí, que luchar por que la justicia impere en el mundo; pero no hay derecho estricto a castigar a un cul-
pable mientras otros se escapan por las rendijas de
la ley; que al fin la impunidad general se conforma
con aspiraciones nobles y generosas, aunque contrarias a la vida regular de las sociedades, en tanto que
el castigo de los unos y la impunidad de los otros
son un escarnio de los principios de justicia y de los
sentimientos de humanidad a la vez.

No se piense que estas ideas se quedan en el aire,
en el ambiente social, sin ejercer influjo en la administración de justicia: por muy rectos que sean los
jueces y por muy claros que sean los códigos, no
hay medio de que un juez se abstraiga por completo
de la sociedad en que vive, ni es posible impedir que

por entre los preceptos de la ley se infiltre el espíritu del pueblo a quien se aplica; y ese espíritu, con labor sorda, invisible y, por lo tanto, inevitable, concluye por destruir el sentido que las leyes tenían en su origen, procediendo con tanta cautela que, sin tocar una coma de los textos legales, les obliga a decir, si conviene, lo contrario de lo que antes habían dicho.

El castigo de los criminales está regulado en España aparentemente por un Código, en realidad por un Código y la aplicación sistemática del indulto. En otro país se procuraría modificar el Código y acomodarlo a principios de más templanza y moderación. En España se prefiere tener un Código muy rígido y anular después sus efectos por medio de la gracia. Tenemos, pues, un régimen anómalo, en armonía con nuestro carácter. Castigamos con solemnidad y con rigor para satisfacer nuestro deseo de justicia, y luego, sin ruido ni voces, indultamos a los condenados para satisfacer nuestro deseo de perdón.

Si fuera ocasión de detenerse en el análisis de los hechos de nuestra historia, veríamos que muchos de ellos han sido engendrados por el espíritu jurídico independiente, y que son muy pocos los que se derivan de la marcha ordenada de nuestras instituciones regulares. Un momento crítico culminante de la historia de España es aquel en que Castilla, encerrada en el centro de la península, deseosa de terminar la Reconquista y de reconstruir la unidad nacional, empieza, pudiera decirse, a balancearse, inclinándose, ya hacia Aragón, ya hacia Portugal. Porque a la unidad no podía llegarse de una vez, puesto que los intereses y aspiraciones de los reinos oriental y occidental eran o parecían ser antagónicos, y además la unión había de hacerse mediante enlaces, ya que ni las prácticas corrientes ni, lo que es más importante, el espíritu nacional, aconsejaban acudir a medios violentos. Castilla pudo ser mediterránea o atlántica, y ambas soluciones debían de iniciar nuevos períodos históricos; y difícilmente se podría imaginar, ahora que conocemos las consecuencias de su unión con la parte oriental de la península, que su unión con la parte occidental hubiera sido más fecunda. Sin embargo, siendo la política castellana, una vez terminada la Reconquista, análoga, por no decir idéntica, a la portuguesa, esta unidad, este exclusivismo en la acción, hubiera dado vida a grandezas acaso menos brillantes, pero más firmes y duraderas que las que trajo la política continental. Lo cierto es que a la solución que se adoptase estaba ligado el curso de los sucesos históricos en nuestra patria y en el mundo, y que por raro azar el problema quedó planteado en términos exclusivamente jurídicos.

De un lado, Portugal apoyaba a Juana la Beltraneja, y del otro, Aragón a Isabel, y la decisión correspondía al pueblo castellano. Un pueblo respetuoso de la ley escrita no hubiera vacilado, y se hubiera puesto de parte de Juana, la cual había nacido en posesión de estado civil. En vez de meterse en averiguaciones indiscretas sobre los devaneos de la reina y de su favorito, lo correcto era atenerse a los principios jurídicos, legales, universales en materia de legitimidad, sin los que el régimen familiar no existiría. ¿Qué sería de la sociedad si la opinión pública pudiera modificar las actas del registro civil y aplicar con estricta justicia el axioma jurídico: «a cada uno lo suyo»? El artículo 109 de nuestro Código Civil vigente dice: «El hijo se presumirá legítimo aunque la madre hubiera declarado contra su legitimidad o hubiera sido condenada como adúltera.» Y este precepto no es invención moderna; se encuentra ya en las Partidas. Pero el pueblo castellano no quiso regirse por preceptos legales, sino por la realidad de los hechos, mejor o peor conocidos: puesto en el terreno de la legitimidad, necesitó acer-

carse todo lo más posible a la alcoba de sus príncipes. Y en el caso de la infeliz Juana de Castilla, no
se satisfizo con murmurar y zaherir, que era a lo
sumo lo procedente; se acogió a la ley natural, y
amparada en ella saltó por encima de todos los
cuerpos legales vigentes a la sazón y mantuvo los
derechos de Isabel. Y así se constituyó la nacionalidad española.

* * *

La síntesis espiritual de un país es su arte. Pudiera
decirse que el espíritu territorial es la médula: la religión, el cerebro; el espíritu guerrero, el corazón; el
espíritu jurídico, la musculatura, y el espíritu artístico, como una red nerviosa que todo lo enlaza y lo
unifica y lo mueve. Suele pensarse que la religión es
superior al arte y que el arte es superior a la ciencia,
considerando sólo la elevación del objeto hacia el
cual tienden; pero vistos desde el punto de vista en
que yo me coloco, como fuerzas constituyentes del
alma de un país, la superioridad depende del carácter de cada país. En el fondo, ciencia, arte y religión
son una misma cosa: la ciencia interpreta la realidad
mediante fórmulas, el arte mediante imágenes y la
religión, mediante símbolos, y rara es la obra humana en que se encuentra una interpretación pura. La
ciencia se vale de hipótesis, que no son otra cosa
que imágenes utilizadas para cubrir los huecos que
no se pueden llenar con fórmulas; el arte propende
al simbolismo, y en algunos casos se transforma en
religión (y en los períodos de decadencia, en ciencia
arbitraria, fantástica, caprichosa y hasta documen-
tal), y la religión se sirve por necesidad del arte y de
la ciencia para humanizar sus simbolismos. La diferencia real está en el sujeto: según la aptitud espiritual predominante en cada individuo, el mundo se
muestra en una u otra forma, y todos ellos, bajo

distintos aspectos y con diversa energía, producen el
mismo resultado «útil»: la dignificación del hombre.

Para un matemático, el binomio de Newton es
una obra de arte y es un dogma. Un artista verá en
el binomio, si por acaso llega a comprenderlo, una
igualdad de términos que, siendo al parecer desemejantes, encierran en sí cantidades equivalentes, ni
más ni menos que en la igualdad: tres más tres igual
a cinco más uno; un matemático verá en él una evolución ideal completa, que conduce por fórmulas
graduales e inteligibles del arcano a lo evidente, y un
símbolo de valor general para remontarse al conocimiento de nuevas y desconocidas leyes de la realidad
abstracta. En cambio, si un matemático analiza un
drama de amor, como el de *Los amantes de Teruel,*
acaso lo reduzca a la fórmula «lo infinito es igual a
cero», o a una ecuación amorosa en que la incógnita
sea el sentimiento del deber, mientras que para un
artista el drama estará en la lucha interior de los
sentimientos y en las formas visibles, plásticas, en
que éstos se exteriorizan, y para el creyente el drama
será como un símbolo religioso, y los amantes no serán fuerzas ciegas movidas por el instinto, según la
idea de Schopenhauer, sino dos almas dueñas de sus
destinos, ennobleciéndose por la abnegación y por la
dignidad con que transforman la pasión humana,
contraria al deber, en amor espiritual y místico, mediante la muerte por el dolor, la transfiguración, el
tránsito desde la vida a las regiones donde el deber
no existe, donde hay sólo un deber, el de amar, que
más que deber es goce y deleite de las almas.

Hay, pues, muchos modos de servir al ideal, y a
cada hombre se le debe pedir sólo que lo sirva según
su natural comprensión. y a cada pueblo que lo entienda según su propio genio. Aunque sea vulgar el
modo de expresión, hay que acudir a él por lo exacto: en el ideal existe también y debe de existir una

prudente «división del trabajo». Los hebreos fueron un pueblo religioso; los griegos, artistas; los romanos, legisladores. Todas las naciones europeas, así como las civilizadas por la influencia de Europa, están constituidas sobre estos tres sillares: la religión cristiana, el arte griego y la ley romana. Y aunque parezca que por esta conexión en los orígenes ya no puedan existir pueblos donde se destaque con vigor una forma del ideal, dejando anuladas las otras, en realidad sí existen esos pueblos, bien que en la actualidad no los distingamos bien por hallarnos a muy corta distancia. La vida de una nación ofrece siempre una apariencia de integridad de funciones, porque no es posible existir sin el concurso de todas ellas; mas conforme transcurre el tiempo, se va notando que todas las funciones se rigen por una fuerza dominante y céntrica, donde pudiera decirse que está alojado el ideal de cada raza, y entonces comienza a distinguirse el carácter de las naciones y el papel que han representado con más perfección en la Historia o comedia universal.

Nuestras ideas, si se atiende a su origen, son las mismas que las de los demás pueblos de Europa, los cuales, con mejor o peor derecho, han sido partícipes del caudal hereditario legado por la antigüedad; pero la combinación que nosotros hemos hecho de esas ideas es nuestra propia y exclusiva, y es diferente de la que han hecho los demás, por ser diferente nuestro clima y nuestra raza. A la vista está nuestro desvío de las ciencias de aplicación: no hay medio de hacerlas arraigar en España, ni aún convirtiendo a los hombres de ciencia en funcionarios retribuidos por el Estado. Y no es que no haya hombres de ciencia, los ha habido y los hay; pero cuando no son de inteligencia mediocre, se sienten arrastrados hacia las alturas donde la ciencia se desnaturaliza, combinándose ya con la religión, ya con el arte. Castelar quiere ser historiador, y sus estudios se le transforman en cantos épico-oratorios; Echegaray, matemático y dramaturgo, maneja los números con la maestría y profundo espiritualismo de los pitagóricos, y Letamendi escribe en nuestro tiempo sobre Medicina como un filósofo hipocrático.

Nuestro espíritu es religioso y es artístico, y la religión muchas veces se confunde con el arte. A su vez, el fondo del arte es la religión en su sentido más elevado, el misticismo, juntamente con nuestras demás propiedades características, el valor, la pasión, la caballerosidad. Pero al decir esto, que es lo que la generalidad de las gentes dice o piensa, no se dice nada o casi nada, porque más importante que la tendencia ideal de un arte es la concepción y ejecución de la obra, o sea, la «obra en sí». Los pueblos tienen personalidad, estilo o manera como los artistas; dos pintores muy devotos de la Virgen pintan dos Vírgenes que no tienen entre sí punto de relación, y dos pueblos religiosos, nobles, apasionados, pueden dar vida a dos artes antagónicas, y la razón de esta diferencia está en el hecho interesante de que, mientras el fondo del arte procede de la constitución ideal de la raza, la técnica arranca del espíritu territorial.

Hace algún tiempo escribí yo que Goya era un genio ignorante, y lo escribí con temor, porque comprendía que ese juicio, que para mí era y es exacto, parecería disparatado o paradójico, según el modo vulgar de examinar y comprender las cuestiones del arte; asimismo creo que Velázquez, que no es solamente un genio, que es el más grande genio pictórico conocido hasta el día, era tan ignorante como Goya. No echo yo de menos ninguna de las manoseadas «reglas», ni hallo esa ignorancia corriente que engendra los anacronismos, la falsedad de los caracteres, la torcida interpretación de los hechos históricos, las monstruosidades anatómicas y demás torpezas y deficiencias que destruyen el efecto total del cuadro; lo que yo veo es la carencia de reflexión técnica, o dicho en términos más llanos, que el artista no conoce cuándo está la obra en su verdadero punto de ejecución, porque se deja sólo guiar por el impulso de su genio. Y como el genio es una facultad falacísima, raras veces la mano que por él se guía remata bien una obra: en cualquier momento de la ejecución la obra «es», pero sólo en uno «está»; y la mano se detiene a capricho, al azar, no en el momento de suprema perfección. Esta inseguridad produce en los momentos felices de los grandes genios creaciones originales, de esas que forman época en el mundo; pero, aceptada como procedimiento sistemático, es causa de que los entendimientos medianos, y a veces los grandes también, fracasen vergonzosamente, y de que esas mismas creaciones originales no traigan consigo, como debieran, un ennoblecimiento de las artes del país en que aparecen; antes contribuyan a formar el mal gusto y a precipitar la decadencia y el envilecimiento del ideal.

No se piense que el rasgo señalado es privativo de Velázquez o de Goya; es constante y es universal en nuestro país, porque brota espontáneo de nuestro amor a la independencia. Por eso en España no hay términos medios. Los artistas pequeños, como los grandes, van a ver lo que sale; y cuando empiezan a trabajar no suelen tener más que una idea vaga de la obra que van a crear y una confianza absoluta en sus fuerzas propias, en su genialidad, cuando no «confían en Dios y en la Reina de los Cielos», como dicen los romances que cantan los ciegos en las plazuelas. Siempre que un español de buena estirpe coge la pluma o el pincel u otro instrumento de trabajo artístico, se puede pensar, sin temor de equivocarse, que aquel hombre está igualmente dispuesto

para crear una obra maestra o para dar vida a algún
estupendo mamarracho.

No existe en el arte español nada que sobrepuje al
Quijote, y el *Quijote* no sólo ha sido creado a la
manera española, sino que es nuestra obra típica,
«la obra» por antonomasia, porque Cervantes no se
contentó con ser «independiente»: fue un conquistador, fue el más grande de todos los conquistadores,
porque mientras los demás conquistadores conquis-
taban países para España, él conquistó a España
misma, encerrado en una prisión. Cuando Cervantes
comienza a idear su obra, tiene dentro de sí un genio portentoso; pero fuera de él no hay más que figuras que se mueven como divinas intuiciones; después coge esas figuras y las arrea, pudiera decirse,
hacia adelante, como un arriero arrea sus borricos,
animándolos con frases desaliñadas de amor, mez-
cladas con palos equitativos y oportunos. No bus-
quéis más artificio en el *Quijote.* Está escrito en pro-
sa, y es como esas raras poesías de los místicos, en
las que igual da comenzar a leer por el fin que por
el principio, porque cada verso es una sensación
pura y desligada, como una idea platónica.

¿Cómo se explica que Lope de Vega, con su genio
dramático original fecundísimo, no nos haya dejado
una obra «acabada» como *Hamlet?* No es que las
facultades creadoras de Lope fueran inferiores a las
de Shakespeare, sino que Shakespeare disparaba
después de apuntar bien y daba casi siempre en el
blanco; mientras que Lope no daba casi nunca, porque tiraba sin apuntar, al aire. Y esta diferencia es
tan clara, que en España misma Lope se ha visto re-
legado a segundo término por Calderón, que se ser-
vía de tipos teatrales, sin la lozanía y la espontaneidad de los del teatro de Lope; pero que sabía concentrar más su atención e infundir a sus personajes
y escenas cierta intensidad, cierta emoción interio-

res, sin las cuales no hay obra duradera. Y no se crea que Calderón profesaba principios estéticos más firmes que los de Lope: cuando la independencia del artista es tan exagerada como en nuestro país, poco importan los principios, puesto que cada cual hace lo que mejor le parece; las equivocaciones y aciertos dependen en gran parte del azar, de una intuición feliz, interpretada con mejor o peor fortuna. Un estudiante, para distraerse durante las vacaciones, comienza a escribir *La Celestina,* y conquista el primer puesto en la literatura española.

Si el teatro español se hunde desde las alturas de Lope en los abismos insondables donde vivía la ilustre patulea que sirvió a Moratín para componer su *Comedia nueva,* la culpa no es ciertamente de los discípulos de don Hermógenes, es de Lope, y más que de Lope, de nuestro carácter. Los más bajos pretenden ser artistas como los más altos; no se detienen en un arte mediano y decoroso: se precipitan en los antros del salvajismo artístico. Yo vi una vez una *Concepción* de la escuela industrial sevillana, que me hizo pensar: el autor de este atentado es un pintor de brocha gorda; pero hay que ser justos y reconocer que maneja las brochas con la misma soltura con que un Murillo debía de manejar los pinceles. Yo no acepto el criterio estrecho, mezquino, y más francés que español, de Moratín, quien conocía bien nuestro arte, pero no llegó nunca a comprenderlo. De no haber remedio humano para nuestras flaquezas artísticas, preferible es que seamos alternativamente geniales y tontos, que no que fuéramos constantemente correctos y mediocres. Pero esto no obsta para señalar que nuestro carácter, en cuanto a la técnica artística, es un exaltado amor a la independencia, que nos lleva a no hacer caso de nadie, a lo sumo a proceder por espíritu de oposición y luego

a no hacer caso de nosotros mismos, a trabajar sin
reflexión y a exponernos a los mayores fracasos.

Cuando el teatro francés de Corneille imperaba
con más fuerza en Alemania, hubo un crítico dramático de extraordinaria perspicacia y comprensión,
Lessing, que le movió guerra en nombre de los mismos principios del teatro clásico, de los que aquél
era una falsa interpretación, demostrando la superioridad del teatro romántico de los españoles y de
los ingleses. Y, sin embargo, el teatro de Corneille
era también como un reflejo del teatro español; era
una mezcla monstruosa de la sobriedad y severidad
del teatro griego y de las peripecias y artificios dra-
máticos imaginados por la fértil fantasía de Lope.
Cito este ejemplo para hacer ver cuán peligroso es
nuestro arte para los que intentan imitarlo. El mismo autor de la *Dramaturgia,* enamorado de la poesía, viveza y naturalidad de nuestro teatro, hacía
grandes reservas en cuanto a los recursos teatrales
inventados sin reflexión ni medida por nuestros
autores. Por esto nuestra influencia en el desarrollo
del teatro alemán fue secundaria, y Schiller pudo decir más tarde con visos de verdad «que los alemanes
habían tenido por únicos guías a los griegos y Shakespeare».

Lo más interesante en estas anomalías que de
nuestro carácter provienen, es que no hay medio de
evitarlas, imitando los buenos modelos y formando
escuelas artísticas. Nosotros no queremos imitar;
pero aunque quisiéramos no podríamos hacerlo con
fruto, porque nuestros modelos, por su excesiva
fuerza personal, son inimitables, y así se aclara el
hecho anómalo de que siendo tan independiente, sea
nuestro arte, como nuestra historia, una continuada
invasión de influencias extrañas. En cuanto nos que-
damos solos destruimos nuestro arte, y para reno-
varlo tenemos que salir fuera de España para equili-

brar nuevamente nuestro gusto; y apenas éste está
un poco depurado, volvemos a las andadas. Estúdie-
se la historia del arte español en nuestro siglo, la
historia del arte que vive al aire libre, pues hay algún arte, como la música, que en su estilo genuinamente español y elevado apenas ha salido de los
templos, y se comprobará la idea que acabo de exponer. Hemos tenido dos grupos de pintores, que el
uno en Francia, el otro en Italia, han buscado el
medio de renovar nuestro arte; y apenas levantado
un poco el nivel estético de la nación, han aparecido
también los españoles, los independientes, y con
ellos los primeros asomos de insubordinación y desorden. Tendremos como siempre obras magistrales
creadas por los maestros y una rápida degradación
provocada por la audacia y desenfado de los apren-
dices.

En cuanto a la poesía, a la novela, a la vista de
todos está cómo hemos tenido o tenemos represen-
tantes de todas las tendencias artísticas de Europa,
sin llegar a constituir grupos, por nuestra tendencia
o propensión a desvirtuar las formas convencionales, aunque estén en gran predicamento, para con-
vertirlas en estilo propio y personal; y a la vista está
también que ningún poeta, o novelista, o simple-
mente escritor, acepta lecciones de quienes son reco-
nocidos y acatados como maestros; que todos desean ser cabezas de ratón o de león, poco importa,
y que en vez de formar un ejército literario, no
somos más que una partida de guerrilleros de las
letras.

¿Es imposible en absoluto modificar estos instintos de insubordinación que nos destrozan y nos
aniquilan? Yo creo que no. A pesar de nuestro espíritu de independencia, hemos podido constituir dos
naciones en nuestra península: no ha sido una sola,
pero no han sido tampoco más de dos; luego alguna

cohesión se ha dado en este punto al espíritu territorial. En cambio, en las artes, en vez de adelantar, retrocedemos. Por un error inexplicable se ha creído que la anarquía proviene de las literaturas regionales, siendo éstas, al contrario, esfuerzos en pro de la disciplina; y por otro error de mayor calibre aún, se ha pensado que la centralización traería la cohesión, cuando para lo que sirve es para sacar a los individuos de los centros donde podrían recibir la influencia bienhechora de un templado ambiente intelectual y lanzarlos en el vacío y en la soledad de un medio más culto, pero más móvil e incoherente, en el cual no se encuentra nada que sirva de punto de apoyo ni que dome los arranque naturales que suelen propender a la exageración y al desequilibrio. España, como nación, no ha podido crear todavía un ambiente común y regulador, porque sus mayores y mejores energías se han gastado en empresas heroicas. Apenas constituida la nación, nuestro espíritu se sale del cauce que le estaba marcado y se derrama por todo el mundo en busca de glorias exteriores y vanas, quedando la nación convertida en un cuartel de reserva, en un hospital de inválidos, en un semillero de mendigos. ¿Qué extraño, pues, que en ambiente tan pobre los hombres de valor que por acaso quedaban sintiesen el deseo de dar rienda suelta a sus facultades, sin comprender a dónde iban ni dónde debían detenerse? La reflexión no es, como se cree, un hecho puramente interno: es más bien una labor de unificación de las reflexiones que nos inspira la realidad en que vivimos; y aun a los espíritus más independientes hay medio de someterlos a la obra común, si se les rodea de espíritus que les cerquen y les aprisionen.

Al estudiar la historia de las artes españolas, hay que fundar la unión en las ideas. Tenemos una *Historia de nuestras ideas estéticas,* pero no tenemos (iba a decir ni podremos tener) una historia de nuestros procedimientos técnicos, de nuestros estilos, de nuestras escuelas, porque en España no es tan fácil relacionarlos todos en una unidad superior, en un concepto general, en una verdadera escuela, y así, los puntos más altos de nuestro arte no están representados por grupos unidos por la comunidad de doctrinas, sino por genios sueltos que, como Cervantes o Velázquez, forman escuela ellos solos. En Francia hay cuatro o seis mil gacetilleros o cronistas que sin una idea en la cabeza escriben con el aplomo de los grandes escritores. El espíritu patriótico les fuerza a formar núcleos. y alrededor de cada sol giran innumerables planetas, satélites, asteroides y hasta bólidos. Cierto que esa gente menuda no hace cosa de gran provecho, pero tampoco hace daño; mientras que en España sólo sirve para arrasar el sentido estético de la nación. Como dice mi amigo Navarro y Ledesma, uno de los pocos españoles que todavía piensan en castellano, la lengua francesa es como un gabán y la española como una capa; no hay prenda más individualista ni más difícil de llevar que la capa, sobre todo cuando es de paño recio y larga hasta los pies. Esto es verdad: la lengua castellana es una capa, y la mayoría de los escritores españoles la llevamos arrastrando.

Es incalculable el número de ingenios arrebatados a las artes españolas por las guerras y por la colonización; y la pérdida fue doble, pues se perdió todo lo que no crearon y la influencia que pudieron ejercer sobre los que quedaban. Y esta idea no es hija de un sentimentalismo huero. Yo no hallo gran diferencia entre la muerte y la vida, pues creo que lo que realmente vive son las ideas; pero también ha de vivir el individuo, que es el creador de las ideas, y la especie, en cuanto necesaria para servir de asilo a las ideas. Así, pues, no doy importancia a la muerte, ni menos a la forma en que nos asalta; lo que me entristece es que se queden en el cuerpo muerto las creaciones presentes o futuras del espíritu. Hay muchas maneras de amar la patria, y lo justo es que cada uno la ame del modo que le sea más natural y que contribuya a dignificarla. Nosotros hemos perdido hasta tal punto el sentido de la perspectiva, que no damos importancia más que al derramamiento de sangre. Los que no luchan con las armas, o por lo menos en arrebatados discursos, son la «obra muerta» de la sociedad, son mirados con desprecio. Ya decía Goethe a este propósito, contestando a los que le acusaban de falta de patriotismo: «Yo he procurado llegar donde más alto he podido en aquellas cosas a que me sentía inclinado por mi naturaleza; he trabajado con pasión; no he perdonado medio ni esfuerzo para realizar mi obra: si alguno ha hecho tanto como yo, que alce el dedo.» No se puede hablar con más elevación y justicia; mucho vale la sangre, pero más vale la obra del espíritu. Los hovas, los cafres, los hotentotes, los matabeles y los zulúes derraman también su sangre por defender el suelo patrio; en los pueblos cultos eso no basta: hay que luchar por el engrandecimiento ideal de la gran familia en medio de la cual se ha nacido, y este engrandecimiento exige algo más que el mero sacrificio de la vida.

El Siglo de Oro de las artes españolas, con ser tan admirable, es sólo un asomo o un anuncio de lo que hubiera podido ser si, terminada la Reconquista, hubiéramos concentrado nuestras fuerzas y las hubiéramos aplicado a dar cuerpo a nuestros propios ideales. La energía acumulada en nuestra lucha contra los árabes no era sólo energía guerrera, como muchos creen; era, según haré ver después, energía espiritual. Si la fatalidad histórica no nos hubiera puesto en la pendiente en que nos puso, lo mismo que la fuerza nacional se transformó en acción, hubiera podido mantenerse encerrada en nuestro territorio, en una vida más íntima, más intensa, y hacer de nuestra nación una Grecia cristiana.

B

La política exterior de España en la Edad Moderna podría ser gráficamente representada por una «rosa de los vientos». La política de Castilla era africana o meridional, porque la toma de Granada y la terminación de la Reconquista no podía ser el último golpe contra los moros: entonces estaba aún pujante el poder musulmán y debía de temerse una nueva acometida, pues el mahometismo lleva en sí un germen de violencia que hoy parece extinguido y mañana reaparece encarnado en un pueblo más joven que de nuevo le da calor y vida; y aparte de esto, era lógico que la respuesta se acomodase a la agresión, que no terminase en nuestro suelo invadido, sino que prosiguiera en el territorio de nuestros invasores. La política de Aragón era mediterránea u oriental, y como al unirse Aragón y Castilla se unieron bajo la divisa de igualdad, constituyeron, más que una unión, una sociedad de socorros mutuos; así como Aragón ayudó a la conquista de Granada, Castilla tenía que ayudar a Aragón en sus empresas de Italia. Y por un azar histórico, en el mismo campamento de Santa Fe, donde se formaba el núcleo militar que después pasó a los campos de Italia, nacía también el pensamiento de aceptar los planes de Colón, y con esto el comienzo de nuestra política occidental o americana. Teníamos, pues, tres puntos cardinales: Sur, Este y Oeste, y sólo nos faltaba el Norte, que vino con gran oportunidad al incorporarse a España los Países Bajos. Y luego, de la combinación de tan encontradas políticas surgieron las

políticas intermedias, y no hubo nación en Europa
con la cual, ya con uno, ya con otro pretexto, no tuviéramos que entendernos por la diplomacia o por
la guerra.

El criterio excesivamente positivista en que se inspiran hoy los estudios históricos obliga a los historiadores a colocar todos los hechos sobre un mismo plano y a cifrar todo su orgullo en la exactitud
y en la imparcialidad. En vez de cuadros históricos
se nos da solamente reducciones de archivo, hábilmente hechas, y se consigue la imparcialidad por el
facilísimo sistema de no decir nunca lo que esos hechos significan. Sin embargo, lo esencial en la Historia es el ligamen de los hechos con el espíritu del
país donde han tenido lugar: sólo a este precio se
puede escribir una historia verdadera, lógica y útil.
¿A qué puede conducir una serie de hechos exactos
y apoyados en pruebas fehacientes, si se da a todos
estos hechos igual valor, si se los presenta con el
mismo relieve y no se marca cuáles son concordantes con el carácter de la nación, cuáles son opuestos,
cuáles son favorables y cuáles contrarios a la evoca-
ción natural de cada territorio, considerado con sus
habitantes, como una personalidad histórica?

Los que escriben historia de España fijan principalmente su atención en la Edad Moderna, porque
la tienen más cerca y la ven colocada en primer término como asunto principal del cuadro que intentan
componer. Y esta idea es errónea, es una violación
de la perspectiva: en la Historia no es posible colocar unos hechos delante de los otros como las figuras u objetos en un cuadro; todo está fundido en la
personalidad nacional, y en ella debe de aquilatarse
la importancia relativa que los sucesos históricos tuvieron. Cuando pasen varios siglos y haya otra época histórica moderna, la que hoy llamamos moderna
no lo será y habrá que cambiarle el nombre, y al
cambiárselo se ha de notar que no es sólo el hombre

el que cambia, que cambia también la significación total de los acontecimientos que la formaron, y entonces esa historia moderna de hoy será una fase anómala de nuestra historia general.

Hemos tenido, después de períodos sin unidad de carácter, un período hispano-romano, otro hispano-visigótico y otro hispano-árabe; el que sigue será un período hispano-europeo e hispano-colonial, los primeros de constitución y el último de expansión. Pero no hemos tenido un período español puro, en el cual nuestro espíritu, constituido ya, diese sus frutos en su propio territorio; y por no haberlo tenido, la lógica de la Historia exige que lo tengamos y que nos esforcemos por ser nosotros los iniciadores. Importante es la acción de una raza por medio de la fuerza, pero es más importante su acción ideal, y ésta alcanza sólo su apogeo cuando se abandona la acción exterior y se concentra dentro del territorio toda la vitalidad nacional.

En el comienzo de la Edad Moderna había en España dos tendencias políticas naturales y justificadas: la de Castilla y la de Aragón, esto es, la africana y la italiana, y después de unidos Aragón y Castilla, la segunda política debió de perder algún terreno. Los descubrimientos y conquistas en América, que tan profunda brecha nos abrieron, tenían también su justificación en nuestro carácter, en nuestra fe y en la fatalidad providencial con que nos cayó sobre los hombros tan pesada carga. Pero nuestra acción en el centro del continente fue un inconmensurable absurdo político, un contrasentido cuya sola disculpa fue y es el estar amparado por las ideas entonces imperantes en materias de derecho político y prácticas de gobierno. Al empeñarse España, nación peninsular, en proceder como las naciones continentales, se condenaba a una ruina cierta, puesto que si una nación se fortifica adquiriendo nuevos territorios que están dentro de su esfera de acción natural, se debilita en cambio con la agregación de otros que llevan consigo contingencias desfavorables a sus intereses propios y permanentes. El poder de Inglaterra se sostiene por no apartarse de esta línea de conducta: es un poder que se apoya en la ocupación de puntos estratégicos, que puedan ser defendidos «insularmente». Inglaterra ha podido ocupar el territorio de los Países Bajos en épocas en que no le hubiera sido necesario gastar fuerzas muy considerables, pero se ha limitado a trabajar porque en las costas de Europa que están frente a su territorio haya naciones pequeñas y débiles, para estar más a salvo de una invasión; si hubiera ido más allá, hubiera corrido la misma suerte que nosotros. Un error político destruye una nación, aun la nación más grande del mundo.

España cometió ese error, y cuando lo cometió hubo quien comprendiera, bien que vaga e instintivamente, los riesgos a que nos exponía; hubo muchos que lo comprendieron, y los unos se murieron y a los otros los degollaron. Para mí, la muerte de Cisneros, muerte oportuna, que le libró de recibir en el rostro la bocanada de aire extranjero que traía consigo el joven Carlos de Gante, fue la muerte de Castilla; y la decapitación de los comuneros fue el castigo impuesto a los refractarios, a los que no querían caminar por las nuevas sendas abiertas a la política de España. Los comuneros no eran liberales o libertadores, como muchos quieren hacernos creer; no eran héroes románticos inflamados por ideas nuevas y generosas y vencidos en el combate por Villalar por la superioridad numérica de los imperiales y por una lluvia contraria que les azotaba los rostros y les impedía ver al enemigo. Eran castellanos rígidos, exclusivistas, que defendían la política tradicional y nacional contra la innovadora y europea de

Carlos I. Y en cuanto a la batalla de Villalar, parece averiguado que ni siquiera llegó a darse.

En la rebelión de las Comunidades de Castilla ocurrió, como ocurre casi siempre, que la razón estaba de las dos partes, y que se habló de todo menos de la causa verdadera de los disturbios, quizá porque los bandos antagónicos no tenían concepto exacto de lo que pretendían. En nuestro tiempo está en auge la política de protección, no hay clase social que no pida auxilio al Estado, y alguna pretende transformarlo en proveedor general de felicidad; por este camino se llegará insensiblemente a convertir el poder político en padre de familia, y se le obligará a buscar medios extraordinarios para llenar sus nuevas y flamantes funciones sociales. Y entonces surgirá la protesta de los que han estado en silencio mientras se discutía, de los que han dejado que las ideas tomen cuerpo, juzgándolas inofensivas o poco peligrosas, y después se sorprenden ante los resultados ya inevitables. De igual suerte, al constituirse la nacionalidad española, se exaltó el poder real por encima de todos los poderes; se le pidió que tomase a su cargo la dirección de todas las fuerzas constituidas del país, insubordinadas por el abuso de los privilegios, y se le excitó a luchar por el engrandecimiento político, cifrado en la idea de la época: la constitución de fuertes nacionalidades. Y en cuanto el poder real se puso a la obra, sobrevino la rebeldía de los prudentes, de los que veían transformarse la política nacional en política dinástica.

Admitido el error político inicial, hay que reconocer que Carlos I fue un hombre oportuno. En España no había nadie capaz de comprender su política, y esto prueba, sin necesidad de más demostraciones, que su política era ajena a nuestros intereses, aunque estuviera apoyada en derechos indiscutibles y en vagas aspiraciones de nuestra nación. Carlos I

representó en nuestra historia un papel análogo,
aunque en sentido inverso, al de Napoleón en la de
Francia. Napoleón hizo de Francia una nación insular. Carlos I hizo de España una nación continental.
Él supo llevar de frente las diversas y contradictorias políticas que despuntaron casi a la vez: acudió
a los Países Bajos, a Italia, a Túnez y a América:
todo lo abrazó con golpe de vista amplio, admirable
y certero; mas su obra era personalísima, porque él
miraba a España desde fuera y nos atribuía las mismas ambiciones que a él, nacido en el centro del
continente, le atormentaban.

Al pasar el poder de Carlos I a Felipe II, se nota
inmediatamente que la política de la Casa de
Austria va a convertirse en un peligro para Europa
y va a dar al traste con nuestra nación. Felipe II era
un español y lo veía todo con ojos de español, con
independencia y exclusivismo; así, no podía conten-
tarse con la apariencia del poder; quería la realidad
del poder. Fue un hombre admirable por lo honrado, y en su espejo deberían mirarse muchos monar-
cas que se ufanan de su potestad sobre reinos cuya
conservación les exige sufrir humillaciones no menores que las que sufren los ambiciosos vulgares para
mantenerse en puestos debidos a la intriga y al favo-
ritismo. Felipe II quiso ser de hecho lo que era de
derecho; quiso reinar y gobernar; quiso que la dominación española no fuese una etiqueta útil sólo para
satisfacer la vanidad nacional, sino un poder efectivo, en posesión de todas las facultades y atributos
propios de la soberanía; una fuerza positiva que im-
primiese la huella bien marcada del carácter español
en todos los países sometidos a nuestra acción, y de
rechazo, si era posible, en todos los del mundo. Con
este criterio planteó y resolvió cuantos problemas
políticos le ofreció su tiempo, y a su tenacidad fueron debidos sus triunfos y sus fracasos.

Para otra nación, el conflicto religioso que surgió

al aparecer en los Países Bajos la Reforma, hubiera
sido relativamente de fácil solución; pasados los primeros momentos de resistencia, vistas las proporciones que tomaba la herejía, se hubiera buscado una
componenda para poner a salvo la dominación; esto
lo hubiera hecho hasta Francia, católica también,
pero menos rigorista, más enamorada de su prestigio político que de sus ideas religiosas, como lo de-
mostró aliándose con los protestantes y hasta con
los turcos, cuando así convino a sus intereses. Sólo
España era capaz de plantear la cuestión en la forma en que lo hizo y arriesgar el dominio material
por sostener el imperio de la religión. Y mientras las
demás naciones hubieran concluido por perder el
dominio algo más tarde, sin dejar huella de su paso,
nosotros lo perdimos antes de tiempo, pero dejamos
una nación católica más en Europa.

La política de Felipe II tuvo el mérito que tiene
todo lo que es franco y lógico: sirvió para deslindar
los campos y para hacernos ver la gravedad de la
empresa acometida por España al abandonar los
cauces de su política nacional. Si Felipe II no triunfó por completo y dejó como herencia una catástro-
fe inevitable, la culpa no fue suya, sino de la imposi-
bilidad de amoldarse él y su nación a la táctica que
exigía y exige la política del continente. Una nación
no se impone sólo con fuerzas militares y navales,
necesita tener ideas flexibles y que se presten a una
rápida difusión; y estas ideas no hay medio de in-
ventarlas: nacen, como vemos constantemente en
Francia, de la fusión de las ideas tomadas del extranjero con las ideas nacionales. Hay que sacrificar
la espontaneidad del pensamiento propio; hay que
fraguar «ideas generales» que tengan curso en todos
los países, para aspirar a una influencia política durable. Nosotros, por nuestra propia constitución, somos inhábiles para esas manipulaciones, y nuestro

espíritu no ha podido triunfar más que por la violencia. Yo creo que a la larga el espíritu que se impone es el más exclusivista y el más original; pero cuando llega a imponerse, no tiene ya alcance político: su influencia es ideal, como la de los griegos sobre los romanos.

Con Felipe II desaparece de nuestra nación el sentido sintético, esto es, la facultad de apreciar en su totalidad nuestros varios intereses políticos. España se defiende largo tiempo con el instinto de conservación, pero sin pensar siquiera cuál ha de ser en caso de sacrificio el interés sacrificado, poniéndolo todo al mismo nivel: lo pasajero y fugaz de nuestra política, como lo esencial y permanente. La idea fundamental de nuestros gobernantes era que la fuerza política dependía de la extensión del territorio; no mermándose éste, la nación conservaba enteros sus prestigios y su vitalidad. Así fuimos sosteniéndonos o fue sosteniéndonos nuestro ejército, núcleo de resistencia que contuvo el desmembramiento y que en ocasiones llegó a representar él solo la nación, con mejor derecho que el agregado inmenso de territorios y de gentes que la formaban.

En mi opinión, lo más triste que hay en nuestra decadencia no es la decadencia en sí, sino la refinada estupidez de que dieron repetidas muestras los hombres colocados al frente de los negocios públicos en España. Se halla a lo sumo algún hombre hábil para ejecutar una misión que se le encomiende; pero no encontraremos uno solo que vea y juzgue la política nacional desde un punto de vista elevado, o por lo menos céntrico. A todos les ocurría lo que, según la frase popular, les ocurre a los músicos viejos: no les quedaba más que el compás.

Acaso hubiera sido un bien para España que el largo y doloroso descenso que se inicia en la paz de Westfalia y se consuma en la de Utrecht hubiera

sido una caída rápida, en la que hubiéramos probablemente sacado a salvo la unidad nacional, pero di-
seminadas nuestras fuerzas para atender a muchos
puntos a la vez, debilitados por un gasto incesante
de energía, tanto más considerable cuanto la ruina
estaba más próxima, las soldaduras de las diversas
regiones españolas comenzaron a despegarse y estuvo a punto de dislocarse la nación. Y se dislocó en
parte, puesto que Portugal, cuya unión era más reciente, concluyó por conquistar su independencia.

No es justo exigir a los hombres de aquella época
un conocimiento de nuestros intereses tan cabal
como el que hoy tenemos, juzgando los hechos a
distancia y con diferente criterio político; pero sí es
justo declarar que aun con las ideas que entonces
imperaban se habría podido proceder con más cordura, si nuestros hombres de Estado se hubieran hallado a la altura de la situación, o cuando menos,
sabido separar lo permanente de la nación, que era
la metrópoli, la península unida, de lo accidental,
que eran los Estados de ella dependientes y las colonias. La confusión en este punto fue tan completa,
que se llegó a poner sobre un pie de igualdad y a
defender con igual empeño en algún tratado, como
el de los Pirineos, el dominio de España en Portugal
(cuya rebeldía era favorecida y apoyada por Francia), y los intereses personales de los príncipes de
Condé. Por muy elevado que sea el concepto que se
profese de la lealtad política, no es jamás disculpa-
ble que se sacrifique el interés de una nación, que es
algo sustantivo y permanente, en obsequio de un
particular, cuyos servicios pueden ser privadamente
recompensados.

La política borbónica no fue mejor que la austriaca en este punto. Continúa admitida la idea de que
el engrandecimiento nacional ha de venir del exterior, de que la fuerza está en la cantidad, en la extensión del territorio. Éste es el sistema generalmen-

te seguido por los nobles arruinados: nada de reducir los gastos por no descubrir lo que está a la vista,
que la casa se hunde; préstamos usurarios, alardes
estúpidos de poder para inspirar confianza, enlaces
en que se busca una dote providencial y demás expedientes de mala índole. No fue otra nuestra política en los comienzos de la Casa de Borbón. El asunto más ruidoso de la época fue la famosa cuestión
de los ducados, y nuestra obra maestra en política,
el experimento de galvanización del intrigante Albe-
roni. El espíritu español, enviciado ya en el sistema
del artificio, falto de una mano fuerte que le obliga-
ra a buscar la salvación donde únicamente podía ha-
llarla, en la restauración de las energías nacionales,
acepta con agrado todas las panaceas políticas que
le van ofreciendo los agiotistas de la diplomacia, y
continúa largo tiempo arrastrándose por los bajos
fondos de la mendicidad colectiva, adornado con el
oropel de fingidas y risibles grandezas.

* * *

La Edad Moderna de nuestra historia no está ce-
rrada todavía, porque una edad no termina mientras
no surgen hechos nuevos que marcan una nueva dirección. En nuestros días se han repetido los ensayos del reinado de Carlos III; parece que al fin vamos a entrar en la tierra de promisión; pero de
pronto sobrevienen complicaciones que echan abajo
la obra comenzada y nos dejan en la eterna interini-
dad. Aún se discute la forma que ha de tener el Gobierno y la organización territorial de la nación; se
discute todo y se discute siempre. La fuerza que antes se desperdiciaba en aventuras políticas en el extranjero, se pierde hoy en hablar; hemos pasado de
la acción exterior a la palabra; pero aún no hemos
pasado de la palabra a la acción interior, último término y asiento natural de nuestra vida política. Hemos restaurado algunas cosas y falta aún restaurar

la más importante: el sentido común. Cuando todos los españoles acepten, bien que sea con el sacrificio de sus convicciones teóricas, un estado de derecho fijo, indiscutible y por largo tiempo inmutable, y se pongan unánimes a trabajar en la obra que a todos interesa, entonces podrá decirse que ha empezado un nuevo período histórico.

El punto de partida de la política exterior de un país es la política nacional, puesto que de ésta depende el rumbo que se ha de imprimir a aquélla; y asimismo el punto de partida de la política interior es la idea que se tiene del papel que la nación ha de representar en la política extranjera. Por ejemplo: la política interior de Prusia, antes de la constitución del Imperio alemán, estuvo subordinada a la idea de constituir el imperio; la política exterior de Italia en la actualidad está subordinada a las exigencias de su política interior, a la necesidad de consolidar la unidad italiana. Si se determina cuál ha de ser en lo porvenir la política exterior de España, tendremos una base fija para fundar sobre ella nuestra política interior, y una vez aceptada ésta, encontraremos la fuerza necesaria para satisfacer las aspiraciones nacionales. De suerte que, en mi concepto, España no puede tener hoy política exterior bien determinada, por faltarle una constitución interna bastante robusta para seguir un rumbo propio, en armonía con sus propios intereses, y, por lo tanto, sólo hay que estudiar cuáles son estos intereses, para asentar sobre ellos nuestra organización política interior.

Por donde el horizonte se muestra más despejado es por el Norte. Nuestra antigua y funesta política continental está en absoluto agotada, muerta y sepultada. Aparte las relaciones comerciales y de buena vecindad, no existe nada que obligue a España a mezclarse en asuntos europeos de una manera forzosa; tenemos una frontera natural, muy bien marca-

da, y nuestra política territorial es la del retraimiento voluntario, el cual, si ya no fuera en sí tan lógico
como es, habría de ser aceptado por decoro. Cuando un actor eminente nota que sus facultades se de-
bilitan y decaen por la acción inevitable del tiempo,
no tiene más solución noble y decente que la de reti-
rarse con oportunidad; no le está permitido degra-
darse aceptando papeles secundarios, hasta llegar al
de criado primero o segundo, cuya intervención se
reduce a pronunciar las palabras sacramentales: «La
señora está servida.» España ha sido en Europa un
gran actor trágico, y no puede aceptar como gracio-
sa concesión el papel de gran potencia, que algunos
políticos tan inquietos como ignorantes creen había
de bastar para darnos la fuerza que todavía no tenemos. En este punto, nuestro criterio creo yo que debería de ser tan rígido que rehuyera toda complica-
ción en los asuntos continentales, aunque fuese para
resolver los mayores conflictos de nuestra propia
política; porque, por muy grandes que fueran los be-
neficios obtenidos, nunca llegarían a compensar las
consecuencias perniciosas que por necesidad habrían
de derivarse de un acto político contrario a la esencia de nuestro territorio.

Parecerá ciertamente osadía afirmar así en redon-
do que España no tiene pendiente ningún problema
de política continental. ¿Pues qué, se me preguntará,
no tenemos en España dos problemas que afectan a
nuestra unidad y que son europeos en cuanto su solución depende en parte de la política de Europa?
Porque en España se cree de buena fe que el rescate
de Gibraltar y la unidad ibérica son cuestiones que
exigen de España, por excepción, el abandono de su
retraimiento, siendo así que una y otra justifican y
apoyan con más vigor aún si cabe nuestro retraimiento sistemático.

El rescate de Gibraltar debe de ser una obra esencial y exclusivamente española. Podría ser europea si todas las naciones de Europa, interesadas como están en la libertad del Mediterráneo, creyesen oportuno intervenir pacíficamente como intervinieron para resolver asuntos de interés general y de carácter análogo, como la liberación de las grandes vías navegables del interior del continente; pero no siendo así, España no puede buscar el amparo de este o aquel grupo político de Europa para procurar el rescate por la fuerza, porque este servicio costaría demasiado caro y haría tan patente nuestra debilidad como la actual situación.

No hay humillación ni deshonra en el reconocimiento de la superioridad de un adversario: es sobradamente manifiesto que Inglaterra ejerce la supremacía en todos los mares del globo; pocas naciones se han librado de sus abusos de poder, favorecidos por la desunión del continente. Y contra tales abusos, la política más sabia es la de hacerse fuertes e inspirar respeto. Un hecho de fuerza como la ocupación de Gibraltar tiene cierto uso práctico, pues sirve de regulador de las energías nacionales e impide que los petulantes alcen demasiado la voz. Gibraltar es una fuerza para Inglaterra mientras España sea débil; pero si España fuera fuerte, se convertiría en un punto flaco y perdería su razón de ser. Científicamente se puede afirmar que una nación fuerte y vigorosa, por muy pequeña que sea, está libre de ser humillada en su territorio; sólo las naciones divididas o desorganizadas excitan el deseo de cometer esas violaciones territoriales, y sólo en ellas se puede ejercer impunemente la alta piratería política.

No es Inglaterra nación que inspire simpatías, porque su fuerza la hace más bien temible u odiosa; en general, una nación «simpática» es una nación que marcha mal: la simpatía política suele ser algo semejante a la lástima o la compasión en las relacio-

nes entre los hombres. Mas por fortuna hoy está
muy en baja la política sentimental, y todas las cuestiones pueden ser planteadas en términos egoístas
escuetos; y hay en este egoísmo franco una notable
ventaja sobre el egoísmo cauteloso e hipócrita de la
diplomacia «clásica». Con arreglo a este novísimo
criterio, se puede, pues, decir, sin escándalo de la
moral política, que entre todas las naciones de
Europa, España es, después de Italia, la nación más
interesada en que se conserve, por largo tiempo aún,
la supremacía naval de Inglaterra. Nos ocurre en
este particular como a aquel caballero arruinado
que por nada en el mundo quería separarse de un
antiguo mayordomo excesivamente manilargo. «No
es por amor por lo que te retengo —decía el pobre
señor—; es porque temo que el que te suceda me
deje a pedir limosna.» Y si alguno de los que se irri-
tan por nuestra afrenta en Gibraltar encuentra esta
idea poco brillante, tenga entendido que me la ha
soplado en la oreja el prudente Sancho Panza, que
era tan español y tan manchego como don Quijote.

Antes de alegrarse infantilmente del hundimiento
de un poder, hay que pensar en el poder que va a
sustituirlo: nosotros no podemos ser los herederos
de Inglaterra, y hemos de ver quién ha de heredar a
Inglaterra, en caso de que mediante una coalición se
llegara a desbancarla. Mil soluciones son posibles y
ninguna es tan clara como el *status quo,* ni más favorable tampoco. A mi juicio, la nación más terrible
como poder marítimo es Inglaterra, por lo mismo
que su poder está en perfecta concordancia con su
carácter territorial: ninguna nación del continente
sola podrá llegar a donde ha llegado Inglaterra; pero
Inglaterra tiene dos ventajas que la abonan: la primera, no tener conexión inmediata con el continente, ni menos aún con el litoral del Mediterráneo; la
segunda, hallarse en la plenitud de absorción y verse
obligada ya a acudir a procedimientos defensivos.

Su poder sería, pues, útil a Europa si, privado de sus condiciones agresivas, lograra sostenerse como agente de orden público internacional. En cambio, una nación continental y marítima, Francia o Rusia, por ejemplo, sería una causa constante de perturbación y una amenaza para la independencia de algunas naciones, que podrían ser atacadas por fuerzas terrestres y marítimas a un mismo tiempo. Inglaterra ha de limitarse a la ocupación de puntos aislados de un litoral; una nación del continente tendría armas y medios para imponerse en toda la extensión de un territorio.

Para sustituir con ventaja la supremacía marítima inglesa hay dos soluciones teóricas, que sólo a título de teóricas indicaré: la neutralización del Mediterráneo o un equilibrio marítimo equivalente a la neutralización. Ha de llegar un momento en que la hegemonía de Europa en el mundo no pueda sostenerse por los medios actuales y exija una concentración de fuerzas; y como la hegemonía ha de apoyarse principalmente sobre el poder naval, será preciso fundar un núcleo, un centro de conciliación en el mar europeo por excelencia, en el Mediterráneo. Porque no bastará un acuerdo diplomático ni una alianza escrita en papel: habrá que aceptar un hecho visible y tangible, que sea la prueba fehaciente de la unidad de acción y que por sí solo, sin necesidad de acudir inmediatamente a la violencia, mantenga la supremacía que hoy ejerce Europa por medio de coaliciones inestables. La neutralización del Mediterráneo dejaría libres grandes fuerzas navales, que permitirían acentuar el movimiento expansivo de Europa; el equilibrio marítimo sería una base de inteligencia y de acción, siempre que en él estuvieran representadas todas las naciones europeas, en particular las más débiles, que por esta razón servirían con mayor lealtad y desinterés como mediadoras y sustentadoras de la paz.

Pero ambas soluciones, cuyo amplio desenvolvimiento requiere una obra dedicada especialmente a tan grave materia, carecen en la actualidad de valor práctico, porque no todas las naciones han llegado a desprenderse de sus ambiciones particulares; cuando se trabaja por destruir el poderío de Inglaterra, no es para sustituirlo por un poder armónico: es para heredarlo y poner en su lugar otro poderío tan exclusivista como él y acaso más peligroso. Las dos soluciones pacíficas indicadas son como la espada y el basto en el juego del tresillo; son triunfos mayores, que Europa se reserva para el día de los grandes apuros, y ese día no ha llegado aún. Lo prudente es hoy por hoy apoyar el poder menos perjudicial.

Malta es una dependencia geográfica de Italia, y el serlo no impide que Italia se ponga al lado de Inglaterra; España no está tan obligada, porque tiene otros mares libres, porque no está enclavada dentro del Mediterráneo; no tiene necesidad de alianzas ni debe practicarlas con una nación más fuerte, pues en los tratados con los fuertes las cláusulas desfavorables tienen valor efectivo, y las ventajosas son cuando menos problemáticas; pero sí está interesada en que se conserve el poderío marítimo de Inglaterra.

Gibraltar es una ofensa permanente, de la que nosotros somos en parte merecedores por nuestra falta de buen gobierno; pero no estorba el desarrollo normal de nuestra nación ni es causa bastante para que sacrifiquemos otros intereses más valiosos, por anticipar un tanto, en la hipótesis más ventajosa, un hecho que tiene marcada su realización lógica en el término de la restauración de nuestra nacionalidad. Absurdo parece, en efecto, que nuestros propios intereses estén ligados con los de la única nación con quien tenemos un motivo real de resentimiento; pero en reconocer y aceptar estos absurdos está a veces la máxima sabiduría política.

El problema de la unidad ibérica no es europeo ni español; como las palabras lo declaran, es peninsular o ibérico. Aunque algunas naciones de Europa tengan interés en mantener dividida la península, no se sigue de aquí que el asunto sea europeo: si todas las naciones toleraran que constituyésemos esa venturosa unidad, no por eso nosotros habríamos de cometer una agresión; no habría en España, aunque otra cosa se piense, nadie capaz de hacerlo. En cambio, si España y Portugal voluntariamente convinieran en la unión, nadie en Europa pondría reparos a un acuerdo que no afectaba el equilibrio político continental. La unión debe de ser obra exclusiva de los que pretenden unirse; es un asunto interior en el que es peligroso acudir a auxilios extraños. El ejemplo de Italia lo demuestra sobradamente.

Asimismo no he comprendido nunca la unión ibérica como cuestión puramente española. La epidemia de las unidades que aún se ceba sobre todos los países del globo, a todos con mayor o menor fuerza nos ataca. Hace tiempo que a mí también me entristecía ver el mapa de nuestra península teñido de dos colores distintos; diré más, mi tristeza aumentaba viendo que la sección de la península era de arriba abajo, cortando montañas y ríos y formando dos naciones incompletas. ¿Cuánto más lógica no sería una división de derecha a izquierda, que dejase al Norte el reino de España y al Sur un reino de Andalucía, un Estado vandálico, semiafricano y semieuropeo? Mas después he visto tantas uniones artificiales, que he cambiado de parecer: si habíamos de estar unidos como Inglaterra e Irlanda, como Suecia y Noruega, como Austria y Hungría, más vale que sigamos separados y que esta separación sirva al menos para crear sentimientos de fraternidad, in-

compatibles con un régimen unitario violento. La
unión de nacionalidades distintas en una sola nación
no puede tener más fin útil y humano que el de
aproximar diversas civilizaciones para que del contacto surja un renuevo espiritual; y este fin acaso
pueda conseguirse sin el apoyo de la dominación
material, política.

La unión de muchos es más fácil que la de dos: la
empresa de confederar los Estados alemanes en un
solo imperio es un juego de niños comparada con el
problema de la unidad ibérica, en la cual, por ser
dos los que habrían de unirse, no hay medio de cubrir las apariencias y ha de verse a las claras que el
uno es más fuerte que el otro. Aunque la igualdad
fuese absoluta, el más débil se creería humillado; y
si faltaban motivos, buscaría pretextos para alimen-
tar su suspicacia. De aquí la idea de algunos políticos de disolver la nación española, resucitar las antiguas regiones y fundar la unidad sobre algo parecido a una confederación. Estos políticos son como
los muchachos que juegan a la baraja, y que cuando
pierden no quieren conformarse y mezclan las cartas
diciendo: esta vez no vale; o bien como quien va a
cazar con red y, aunque coja muchos pájaros en una
redada, se empeña en que no ha de escaparse ninguno y suelta los ya cazados, para que éstos atraigan
al que se escapó, sin pensar que lo más probable
será que ni uno solo vuelva a acercarse a las redes ni
a tiro de ballesta.
No hay medio de jugar con la Historia; los hechos no se repiten a capricho, ni se puede volver
atrás para rectificar lo que ya salió imperfecto en su
origen. La verdadera ciencia política no esta en estos artificios; está en trabajar con perseverancia
para que la realidad misma, aceptada íntegramente,
dé en el porvenir, avanzando, no retrocediendo, la
solución que parezca más lógica. Éste es el único

medio que tiene el hombre de influir provechosamente en el desarrollo de los sucesos históricos: conociendo la realidad y sometiéndose a ella, no pretendiendo trastrocarla ni burlarla. La unidad ibérica no justifica nuevas divisiones territoriales, ni un cambio en la forma de gobierno, porque la causa de la separación no está en estos accidentes, sino en algo más hondo y que no conviene ocultar: en la antipatía histórica entre Castilla y Portugal, nacida acaso de la semejanza, del estrecho parecido de sus caracteres. La única política sensata, pues, será aplicarnos a destruir esa mala inteligencia, a fundar la unidad intelectual y sentimental ibérica, y para conseguirlo, para impedir que Portugal busque apoyos extraños y permanezca apartado de nosotros, hay que enterrar para siempre el manoseado tema de la unidad política y aceptar noblemente, sin reservas ni maquiavelismos necios, la separación como un hecho irreformable.

* * *

Veamos ahora nuestra política de Occidente; demos un vistazo a nuestra numerosa familia de América. Pasa por verdad demostrada, indiscutible, que el moderno sistema de colonización, representado principalmente por Inglaterra, es superior al antiguo sistema colonial practicado por los españoles; y para hacer más patente la verdad, es costumbre, yo lo he leído y oído muchas veces, poner en parangón, no ya colonias y colonias, sino antiguas colonias emancipadas ya de la tutela de sus metrópolis. Porque en las colonias no es fácil fijar el grado de evolución en que cada una se halla, mientras que en naciones ya independientes los resultados de uno y otro sistema colonial parecen perfectamente definidos, formando el carácter de la nueva nacionalidad. Y los términos de la comparación no pueden estar más a la vista: de un lado, las repúblicas iberoamericanas, y del

otro, la de los Estados Unidos de la América del
Norte.

Con el criterio con que hoy son juzgados los
asuntos políticos, no hay que decir si la comparación será para nosotros desventajosa. Los Estados
Unidos son una nación formidable, muy poblada,
muy rica y al parecer muy bien gobernada; pretende
ejercer su protección paternal sobre toda América, e
intervenir en los asuntos de Europa. No han faltado
estadistas europeos que celebren la perfección de sus
instituciones políticas, y algunos han querido hasta
copiarlas. En cambio, las repúblicas de origen hispánico son pobres y están mal gobernadas; viven en
guerra civil; salen a pronunciamiento por año. Las
virtudes de la raza española —se dice— han dege-
nerado a América y se han convertido en pecados
capitales: el valor guerrero ha venido a dar en militarismo de la peor especie, en ese militarismo en que
hasta los soldados quieren ser generales, y la altivez
se ha cambiado en infatuación pedante o grosera.
Y como prueba definitiva de nuestra inferioridad,
me decía un buen señor con quien yo hablaba no ha
mucho sobre esta materia: «Si en cualquier punto de
Europa nombra usted a América, se entenderá desde
luego que América son los Estados Unidos; un americano es un súbdito de la Unión, como si la Unión
fuera toda América. Para designar a los ciudadanos
de las demás repúblicas o colonias no basta decir un
americano, hay que agregar el calificativo especial
de la nación a que pertenece.»

A lo cual oponía yo diversos razonamientos por
el estilo del siguiente: en efecto, los súbditos de la
Unión han acaparado el nombre de americanos;
pero precisamente este detalle sirve para marcar una
diferencia que con el tiempo dará sus frutos, y en la
que yo veo la promesa de una futura superioridad
de las creaciones de nuestra raza. Esta diferencia
consiste en que nosotros poseemos en grado eminen-

te, como nadie, el poder de caracterización; un suelo
que nosotros pisamos recibe pronto la marca de
nuestro espíritu, y con ella la fuerza fundamental en
la constitución de un Estado: el carácter territorial.
Al primer momento parece una muestra de superioridad el hecho de que un súbdito de los Estados
Unidos sea reconocido como tal con sólo que diga:
soy americano o norteamericano; pero, si nos fijamos un poco, notaremos que, si emplea un nombre
genérico que comprende también a los súbditos de
otros Estados, es porque no tiene nombre propio,
como no se tome por tal el mote de yanqui. Si después que ha dicho que es americano tiene precisión
de particularizar más, no hallará un nombre que le
caracterice bien a nuestros ojos; porque decir: soy
ciudadano de los Estados Unidos, es largo y vago, y
agregar: soy de Illinois, de Ohio, de Tennessee o de
Kentucky, es no agregar nada; y si añade que es ca-
rolino, lo tomarán por un insular de Oceanía. En
cambio, las repúblicas de origen español, aun las
microscópicas, tienen un sello peculiar que distingue
admirablemente las unas de las otras. Cuando un
hombre dice que es mejicano, argentino, brasileño,
chileno o peruano, uruguayo, paraguayo, venezola-
no o boliviano, ecuatoriano, colombiano o guate-
malteco, cubano, puertorriqueño, hondureño, costa-
rriqueño, salvadoreño, nicaragüeño o dominicano,
dice algo que le redondea, que le da un aire personal, en suma, que le marca con el espíritu de su territorio.

En esta sencilla observación está la clase de la crítica concerniente a las naciones americanas; de ahí
arrancan todas las diferencias de su evolución, de su
organización, de su estado presente y de su porvenir. Una nación no es como un hombre: necesita varios siglos para desarrollarse. Las naciones hispanoamericanas no han pasado de la infancia, en tan-

to que los Estados Unidos han comenzado por la
edad viril. ¿Por qué? Porque las unas, al recibir la
influencia de sus territorios, han retrocedido y han
comenzado la evolución como pueblos jóvenes, paso
a paso, tropezando en los escollos en que tropiezan
las sociedades nuevas que carecen de un exacto conocimiento del camino que deben seguir; y la otra
ha continuado viviendo con vida artificial, importa-
da de Europa, como pudiera vivir en cualquier otro
territorio, por ejemplo, en Australia. Las luchas pequeñas que en las unas perturban la vida política,
no son signos de degeneración: son signos de vitalidad excesiva y mal encauzada; expansiones de sociedades juveniles que luchan por lo que comienzan a
luchar siempre los hombres, por su independencia y
prestigio personal contra la acción autoritaria de los
poderes organizados. En estas luchas se forman los
poderes fuertes, y de ellas nace el verdadero progreso social, la civilización íntegra, que no está sólo en
el acrecentamiento de la riqueza pública y privada,
sino también y muy principalmente en el ennoblecimiento del ideal por medio del arte. Así, el defensor
de los Estados Unidos a que antes aludí, y que es
grandemente aficionado a la música, estaba a punto
de convenir después conmigo en que la «habanera»
por sí sola vale por toda la producción de los Estados Unidos, sin excluir la de máquinas para coser y
aparatos telefónicos; y la «habanera» es una creación del espíritu territorial de la isla de Cuba, que
en nuestra raza engendra esos profundos sentimientos de melancolía infinita, de placer que se desata en
raudales de amargura y que en la raza a que perte-
necen los súbditos de la Unión no haría la menor
mella.

Este carácter que nosotros sabemos infundir en
nuestras creaciones políticas y en el que damos el
arma de la rebelión, la fuerza con que después so-

mos combatidos, es una joya de inapreciable valor
en la vida de las nacionalidades, pero es también un
obstáculo grave para ejercicio de nuestra influencia.
El español que «toma tierra» en otro país es un terrible enemigo de España mientras se le mantiene en
la obediencia; y una vez que logra su libertad, es un
amigo receloso; continúa siendo español por esencia;
pero como sus afectos se fijan en otro territorio, sus
buenas cualidades obran en sentido opuesto a nuestros intereses; tolera la influencia intelectual, porque
los lazos de subordinación que ésta crea son demasiados sutiles; pero rechaza toda influencia que se
muestre en hechos materiales. De aquí mi opinión
contraria a todas las uniones iberoamericanas habi-
das y por haber; en nuestra raza no hay peor medio
para lograr la unión que proponérselo y anunciarlo
con ruido y con aparato. Ese sistema no conduce
más que a la creación de organismos inútiles, cuando no contraproducentes.

Siempre que se habla de unión iberoamericana he
observado que lo primero que se pide es la celebra-
ción de tratados de propiedad intelectual: esto es lo
más opuesto que cabe concebir a la unión que se
persigue. No creo que nadie haya pensado en organizar una «Confederación política de todos los Estados hispanoamericanos»: este ideal es de tan larga y
difícil realización, que en la actualidad toca en las
esferas de lo imaginario; no queda, pues, otra confederación posible que la «Confederación intelectual o
espiritual», y ésta exige: primero, que nosotros tengamos ideas propias para imprimir unidad a la
obra; y segundo, que las demos gratuitamente, para
facilitar su propagación. Si con las uniones se pretende buscar un mercado para la producción artística, no hay que ampararse debajo de fraseologías
patrióticas; díganse las cosas claras, por sus nombres, y no se dé un carácter tan marcadamente patriótico a una sencilla operación de comercio.

Yo no he aceptado nunca como cosa legítima la
propiedad intelectual: hasta tengo mis dudas acerca
de la propiedad de las ideas. El fruto nace de la flor,
pero no es de la flor, es del árbol; el hombre es
como una eflorescencia de la especie, y sus ideas no
son suyas, sino de la especie, que las nutre y las conserva. Los hombres son muy propensos a darse de-
masiada importancia, a creerse cada uno un centro
de vida y de creación ideal; más justo creo yo que
sería retroceder un poco y buscar el centro de gravedad dentro de la base, hacia el comedio de la evolución ideológica en que nacemos y de la que somos
siervos humildísimos. Pero aun aceptada la propiedad teórica de las ideas, hay mucho camino que re-
correr antes de llegar a la propiedad práctica de la
obra intelectual; hay que ver si se opone a la naturaleza íntima de las ideas y al papel que éstas han de
desempeñar en el mundo. Más necesaria es la propiedad de las cosas materiales, y, sin embargo, existe
la expropiación forzosa, y no ha habido reparo en
desamortizar cuando así pareció útil y oportuno, y
no falta quien aspire hoy a una desamortización general. El socialismo no es un fantasma, es una fuerza positiva o negativa; pero de todos modos, una
fuerza que ha de influir en la evolución de nuestras
instituciones legales y políticas. La propiedad individual está, pues, subordinada a intereses superiores, y
siempre que éstos lo exijan no debe de haber incon-
veniente alguno en sacrificarla: preciosa es también
la vida, y se la sacrifica por el ideal cuando el ideal
así lo exige.

La propiedad intelectual está fundada sobre un
error profundo. Cuando el trabajo del hombre se
inspira en la idea de lucro, bien es que se le estimule
mediante el interés personal; pero es incongruente
aplicar el mismo principio a las obras de la ciencia
o del arte, las cuales no deben de tener otro motivo
de inspiración que el amor a la verdad o a la belle-

za. Conceder patentes de invención a un sabio o a
un artista es convertirles en industriales de la ciencia
o del arte, excitarles a que conviertan sus obras en
artículos de comercio. Así ocurre que hoy no se trabaja ya para remontarse a las grandes alturas, para
crear obras maestras: los modernos obreros intelectuales se conforman con inventar un modelo que sea
del agrado del público y multiplicarlo después en
«series» de obras análogas y productivas; ni más ni
menos que los industriales, que una vez acreditado
un artículo se consagran a explotar el filón y producen a destajo para satisfacer las «exigencias de la demanda». Antes teníamos el dolor de ver a los genios
morirse de hambre, y ahora tenemos la alegría de
ver gordos y colorados a muchos que no tienen
nada de genios.

Aparte de esta razón general, existe otra que nos
llega más de cerca a los españoles: la escasa fuerza
expansiva de nuestra producción intelectual. Este
carácter no arguye contra el valor intrínseco de
nuestras obras, antes lo acrecienta y realza; pero dificulta la acción útil de nuestras ideas, su influjo en
nuestra misma nación y sobre los países que hablan
nuestro idioma, en los que tenemos el deber de luchar para que nuestra tradición no se extinga, para
conservar la unidad y la pureza del lenguaje. Casi
todos los pueblos americanos, al separarse de España, por espíritu de rebeldía han pasado lo que pudiéramos llamar la escarlatina de las ideas francesas,
o, hablando con más propiedad, de las ideas internacionales. Si España quiere recuperar su puesto, ha
de esforzarse para restablecer su propio prestigio intelectual, y luego para llevarlo a América e implan-
tarlo sin aspiraciones utilitarias. Cuando tuvimos
necesidad de construir ferrocarriles y fue conveniente conceder franquicias aduaneras al material de
construcción, no atendimos al perjuicio que sufriría
la industria metalúrgica nacional; paréceme que la

conservación de nuestra supremacía ideal sobre los pueblos que por nosotros nacieron a la vida, es algo más noble y trascendental que la construcción de una red de ferrocarriles.

Esta objeción que yo dirijo particularmente contra los tratados de la propiedad intelectual tiene una aplicación más amplia y pudiera ser generalizada en estos o parecidos términos: «Las relaciones entre España y las naciones hispanoamericanas no deben de regirse por los principios del derecho internacional; al contrario, se deberá de rehuir sistemáticamente todo acto político que tienda a equiparar dichas relaciones a las que España sostiene con países de diverso origen.» El derecho internacional, como todas las ramas del derecho, es un formulario estrechísimo en el que no cabe la realidad entera: hay derecho público y derecho privado; pero no hay derecho público interfamiliar aplicable a las relaciones de Estados pertenecientes a un mismo tronco; una determinación material de las nacionalidades no basta; es necesario tener en cuenta el carácter de cada nacionalidad y establecer diferentes principios reguladores, según el grado de intimidad con que unos y otros países entre sí se enlazan. En vez de hablar de fraternidad y tratarnos como extranjeros debemos de callar y tratarnos como hermanos.

La idea de fraternidad universal es utópica; la idea de fraternidad entre hermanos efectivos es realísima; y entre una y otra existen gradaciones que participan de lo utópico y de lo real; las relaciones fraternales que engendra la vecindad, la conciudadanía, la raza, el idioma, la religión, la historia, la comunidad de intereses o de cultura. Yo he tenido ocasión de tratar a extranjeros de diversas naciones y a hispanoamericanos, y no he podido jamás considerar a los hispanoamericanos como extranjeros. No es que yo tenga una idea preconcebida ni que desee hacer alarde de sentimientos fraternales por el estilo de los que usa un orador o un propagandista para emocionar a su auditorio: es que noto que con un hispanoamericano estoy en comunicación intelectual apenas hemos cruzado cuatro palabras; en tanto que con un extranjero necesito muy largas relaciones, muchos tanteos para conseguir entenderme con entera naturalidad; en un caso voy sobre seguro, porque sé que existe una comunidad ideal que suple la falta de confianza; en otro he de comenzar por apoyarme sobre las reglas banales de la urbanidad, hasta que con el tiempo voy allanando las dificultades que presenta el entenderse con una persona extraña, cuando no se posee, como yo no poseo, la flexibilidad necesaria para sacrificar las ideas y sentimientos propios en aras de las conveniencias sociales.

Voy a referir un suceso vulgarísimo en que intervine «por razón de mi cargo», cuando residía en Amberes, y por la muestra se verá cómo los cargos oficiales no están reñidos con las escenas de la vida sentimental, y cómo estas ideas que yo expongo y que acaso suenen a palabrería huera tienen un sentido muy justo y muy práctico, si se las acepta como línea de conducta y llegan a constituir, sin necesidad de que se las escriba en ningún código ni en ningún tratado, un criterio uniforme y constante en la vida de la gran familia hispánica. Me avisaron que en el Hospital Stuyvenberg se hallaba en gravísimo estado un español, que deseaba hablar con la autoridad de su país; fui allá, y uno de los empleados del establecimiento me condujo a donde se hallaba el moribundo, diciéndome de paso que éste acababa de llegar del Estado del Congo, y que no había esperanzas de salvarle, pues se hallaba en el período final de un violento ataque de fiebre amarilla o africana. Ahora mismo estoy viendo a aquel hombre infelicísimo, que más que un ser humano parecía un esqueleto pintado de ocre, incorporado trabajosamente en su pobre lecho y librando su último combate contra la muerte. Y recuerdo que sus primeras palabras fueron para disculparse por la molestia que me proporcionaba, sin título suficiente para ello. «Yo no soy español —me dijo—, pero aquí no me entienden, y al oírme hablar español han creído que era a usted a quien yo deseaba hablar.» «Pues si usted no es español —le contesté—, lo parece y no tiene por qué apurarse.» «Yo soy de Centroamérica, señor: de Managua, y mi familia era portuguesa; me llamo Agatón Tinoco.» «Entonces —interrumpí yo—, es usted español por tres veces. Voy a sentarme con usted un rato, y vamos a fumarnos un cigarro como buenos amigos. Y mientras tanto, usted me dirá qué es lo que desea.» «Yo, nada, señor: no me falta nada para lo poco que me queda que vivir; sólo quería hablar con quien me entendiera, porque hace ya tiempo que no tengo ni con quién hablar. Yo soy muy desgraciado, señor, como no hay otro hombre en el mundo. Si yo le contara a usted mi vida, vería usted que no le engaño.» «Me basta verle a usted, amigo Tinoco, para quedar convencido de que no dice más que la verdad; pero cuénteme usted con entera confianza todos sus infortunios, como si me conociera de toda su vida.» Y aquí el pobre Agatón Tinoco me refirió largamente sus aventuras y sus desventuras; su infortunio conyugal, que le obligó a huir de su casa, porque «aunque pobre, era hombre de honor»; sus trabajos en el canal de Panamá hasta que sobrevino la paranza de las obras, y, por último, su venida en calidad de colono al Estado libre congolés, donde había rematado su azarosa existencia con el desenlace vulgar y trágico que se aproximaba y que llegó aquella misma noche. «Amigo Tinoco —le dije yo después de escuchar su relación—, es usted el hombre más grande que he conocido hasta el día; posee usted un mérito que sólo está al alcance de los hombres verdaderamente grandes: el de haber trabajado en silencio; el de poder abandonar la vida con la satisfacción de no haber recibido el premio que merecían sus trabajos. Si usted se examina ahora por dentro y compara toda la obra de su vida con la recompensa que le ha granjeado, fíjese usted en que su única recompensa ha sido una escasa nutrición, y a lo último el lecho de un hospital, donde ni siquiera hablar puede; mientras que su obra ha sido nobilísima, puesto que no sólo ha trabajado para vivir, sino que ha acudido como soldado de fila a prestar su concurso a empresas gigantescas, en las que otro había de recoger el provecho y la gloria. Y eso que usted ha hecho revela que el temple de su alma es fortísimo, que lleva usted en sus venas sangre de una raza de luchadores y de triunfadores, postrada hoy y humillada por propias culpas, entre las cuales no es la menor la falta de espíritu fraternal, la desunión, que nos lleva a ser juguete de poderes extraños y a que muchos como usted anden rodando por el mundo, trabajando como oscuros peones cuando pudieran ser amos con holgura. Piense usted en todo esto, y sentirá una llamarada de orgullo, de íntimo y santo orgullo, que le alumbrará con luz muy hermosa los últimos momentos de su vida, porque le hará ver cuán indigno es el mundo de que hombres como usted, tan honrados, tan buenos, tan infelices, ayuden a fertilizarlo con el sudor de sus frentes y a sostenerlo con el esfuerzo de sus brazos.»

Cuando abandoné el hospital pensaba: si alguna persona de «buen sentido» hubiera presenciado esta escena, es seguro que me tomaría por hombre desequilibrado e iluso y me censuraría por haber expuesto semejantes razones ante un pobre agonizante, que acaso no se hallaba en disposición de comprenderlas. Yo creo que Agatón Tinoco me comprendió, y que recibió un placer que quizá no había gustado en su vida: el de ser tratado como hombre y juzgado con entera y absoluta rectitud. Las inteligencias más humildes comprenden las ideas más elevadas; y los que economizan la verdad y la publican sólo cuando están seguros de ser comprendidos viven en grandísimo error, porque la verdad, aunque no sea comprendida, ejerce misteriosas influencias y conduce por caminos ocultos a las sublimidades más puras, a las que brotan incomprensibles y espontáneas de las almas vulgares. Días atrás expliqué yo a mi criada, una buena mujer, más ignorante que buena, el origen del mundo y la mecánica celeste. No seguí el sistema de Copérnico, ni el de Ticho-Brahe, ni el de Tolomeo, sino otro sistema que yo he inventado para entretenerme, y que para mi criada, que no sabe de estas cosas, es tan científico como si hubiera sido sancionado por todos los grandes astrónomos del orbe. Al día siguiente vi entrar a mi criada con un ramo de rosas buscadas no sé dónde, pues en estas latitudes no abundan, y entregarme, sin decir palabra, el inesperado e inexplicable obsequio, y cuando tuve en la mano el ramillete, me vino al pensamiento la explicación deseada y dijo: las ideas de ayer han echado estas flores.

* * *

Volvamos la vista hacia el Oriente a ver si por este lado asoma, como el Sol, la luz que hace tanto tiempo nos falta. España sin Portugal es una nación principalmente mediterránea; ¿qué mucho, pues, que en el Mediterráneo hallásemos el centro natural de nuestra acción política? Yo creo, en efecto, que si fuese indispensable desarrollar nuestra vida política exterior, la única política justificada por nuestra posición territorial y por nuestra historia sería una política mediterránea. Entre todas las supremacías que España pudiera ejercer en el mundo, ninguna debería de halagarnos tanto como nuestra supremacía en el mar civilizador de la humanidad, y ningún lema podríamos inscribir con más satisfacción en nuestro escudo que el lema: «Mare nostrum, nostrum.»

Pero una política mediterránea necesitaría estar apoyada sobre un fuerte poder naval, y hay que ver si nosotros podemos hoy tenerlo. No voy a entonar una elegía ni a sacar a plaza nuestra pobreza; acepto gustoso la hipótesis de que hemos hallado una mina de oro puro en los alrededores de Madrid, y que no hay más que acuñar ese oro providencial, convertido en moneda contante y sonante, y adquirir con él la más grande y desaforada colección de acorazados que jamás en todo lo descubierto de los mares se haya podido y pueda hallar. Para los que atienden sólo a la superficie de las cosas, para los que creen que el poder naval está en tener muchos barcos, el problema quedaría resuelto: no habría más que adornar todos estos barcos con la bandera nacional y lanzarlos en busca de aventuras heroicas, que continuasen nuestra gloriosa tradición marítima. Para mí, tan formidables escuadras serían un peligro y acaso un estorbo. Un poder que no brota espontáneo de la fuerza natural y efectiva de una nación, es un palo en manos de un ciego. Los barcos no van tripulados sólo por hombres: van tripulados por las ideas nacionales, y una nación que carece de la fuerza expansiva de un ideal bien cimentado, no hará nada de provecho con un poder marítimo ignorante de los derroteros que ha de seguir con fe y constancia. Toda nuestra historia demuestra que nuestros triunfos fueron debidos más a nuestra energía espiritual que a nuestra fuerza (puesto que nuestras fuerzas siempre fueron inferiores a nuestras obras); no pretendamos hoy trocar los papeles y confiar a un poder puramente material nuestro porvenir. Antes de salir de España hemos de forjar dentro del territorio ideas que guíen nuestra acción, porque caminar a ciegas no puede conducir más que a triunfos

azarosos y efímeros y a ciertos y definitivos desastres.

Nuestra situación no nos permite imponer nuestro
criterio político, y nuestra historia se opone a que
desempeñemos el papel de comparsas; así, pues,
nuestra línea de conducta en el Mediterráneo como
en Europa es el retraimiento voluntario. Pero en
este punto, bueno es decirlo, las cosas no aparecen
tan claras como cuando se trataba del continente;
existen numerosas cuestiones políticas en las que España está profundamente interesada y en las que el
retraimiento no es cosa llana y natural, sino el resultado de la reflexión. No hay palmo de terreno en el
extremo litoral del Mediterráneo donde no haya en
pie un conflicto político, y si se los va examinando
uno a uno, se notará que todos giran alrededor de
dos conflictos capitales, permanentes: la cuestión romana y la cuestión turca. En la primera está España
interesada como nación católica, y en la segunda,
como nación cristiana, y en ambas, como potencia
mediterránea.

El primer punto que conviene dejar esclarecido es
el que concierne a la intervención posible de España
en virtud de sus ideas religiosas, porque las ideas
políticas andan tan fuera de sus naturales senderos,
que hay quien mezcla y revuelve la política con la
religión, y quien confunde los intereses de la nación
con las aspiraciones de los individuos. Al juzgar su-
mariamente la política de Felipe II pretendía yo hacer ver cómo en esta política había un error capital:
el de haber dirigido la acción de nuestro país por caminos ajenos a nuestros intereses; pero cómo había
asimismo un pensamiento admirable: el de inspirar
esa acción en los sentimientos genuinamente españoles. Éste es un punto de vista general en todos los
asuntos políticos: cuanto se haga, hay que hacerlo
honrada y sinceramente, a la española; pero no se

debe de hacer más que lo que convenga a nuestros
intereses. Ni la religión, ni el arte, ni ninguna idea,
así sea la más elevada, puede suplir en la acción la
ausencia del interés nacional, puesto que este interés
abraza todas esas ideas, y además la vida total del
territorio, su conservación, su independencia, su engrandecimiento. La política de Felipe II nos trajo
nuestra ruina, no por su empeño en sostener las
ideas católicas, sino por sostener, a causa de estas
ideas, un absurdo político, una obra contraria a los
intereses españoles. Y la compensación del sacrificio
fue la decadencia, fue la división de la península, fue
la humillación de Gibraltar y, por último, la amenaza de vernos privados hasta de nuestra independencia. Todos estos desastres vinieron eslabonados y tuvieron su origen en la obcecación con que pretendi-
mos apoyarnos sobre ideas que carecían de asiento
natural en intereses reales.

Hoy tenemos un ejemplo palpable de lo que digo
en la colonización africana. ¿Puede darse nada más
bello que civilizar salvajes, que conquistar nuevos
pueblos a nuestra religión, a nuestras leyes y a nuestro idioma? Y, sin embargo, ¿puede darse absurdo
mayor que una empresa colonial de España en África? Si estamos aún en la convalecencia de la colonización americana, si tenemos dos grandes colonias
que, en vez de darnos las fuerzas que nos faltan, son
dos sangrías sueltas, dos causas de disolución de lo
poco que habíamos conseguido fundar, ¿cómo vamos a acometer nuevas empresas colonizadoras? Si
así lo hiciéramos, más tarde recibiríamos el pago: un
desastre económico, una guerra civil, otro ensayo re-
publicano, un nuevo ataque a nuestra independencia, cualquiera de esas cosas u otras peores a elegir.
España, pues, debe mirar los asuntos del Mediterráneo con un criterio nacional exclusivista, y si por
acaso hubiera de intervenir, debe intervenir sin
abandonar sus ideas, con su carácter de nación cató-

lica. Y los que crean que ambos conceptos son contradictorios, que reflexionen un poco y se convence-
rán de que la contradicción está en pretender que
una nación se arruine por defender ideas generosas
y arriesgue con su propia vida el porvenir de esas
mismas ideas.

Consideradas todas las cuestiones políticas pen-
dientes en el Mediterráneo desde el punto de vista
de nuestros intereses territoriales y marítimos, sin
gran esfuerzo se llega a comprender que las soluciones más favorables serán las más dilatorias. Quien
no tiene fuerzas bastantes para decidir, está obliga-
do a trabajar porque no se decida nada; y si la solución está pendiente porque los intereses antagónicos
se hallan en equilibrio, lo más sabio y al mismo
tiempo lo más cómodo es la abstención. Cuando un
país se halla real y positivamente interesado en un
asunto, como España en Marruecos, la abstención
es funesta, porque pone de manifiesto que ese país,
o desconoce sus intereses vitales, o bien se halla tan
abatido que tiene que confiarlos a manos extrañas;
pero si la intervención no está plenamente justificada, la abstención es discretísima y revela gran tacto
político, puesto que el lado por donde más pecan así
las naciones como los individuos es la oficiosidad, la
manía de meterse en lo que no les importa. Un
hombre que habla poco y a tiempo se hace de es-
tima, adquiere autoridad, y sin pretenderlo es consultado sobre cuestiones arduas; un hombre inquieto
y entrometido llega a servir de molestia y de estorbo.

La cuestión romana tiene su solución dentro de sí
misma; una solución lógica, independiente de la voluntad de los hombres y, por lo tanto, irremediable:
el aniquilamiento del poder político establecido en
Roma. Quizá para el porvenir del catolicismo y de

las naciones católicas convendría privar para siempre al Pontificado de un poder temporal que, cuando existió, fue una causa constante de rivalidad entre los Estados católicos deseosos de dominar en Italia desunida, y hoy que no existe continúa siendo un motivo de discordia y de perturbación. Pero aunque el Sumo Pontífice aceptara el hecho consumado y se conformara con asegurar su independencia mediante garantías internacionales, no resolvería tampoco el conflicto, porque éste no está en las personas, sino en las ideas, y más que en las ideas, en la realidad. Una ciudad teocrática como Roma, Jerusalén o la Meca, para no hablar sólo del catolicismo, no puede ser asiento de un poder político estable, porque la gobernación de un Estado es operación inferior al gobierno de la vida espiritual; por este hecho la autoridad civil se halla ideal y realmente supeditada a la autoridad religiosa. No hay más que dos soluciones: o fundir las dos autoridades en una sola, o condenar la autoridad política al vasallaje. El poder político tiene la fuerza; pero la fuerza es flor de un día. En definitiva, lo que triunfa es la idea; ¿y qué comparación puede haber entre un régimen político pasajero y un régimen espiritual inmutable?

La Casa de Saboya es de las más estimables por su prestigio y por la sinceridad con que ha aceptado y practicado el sistema moderno constitucional y democrático; después de la Casa de Sajonia Coburgo Gotha, que en este punto se lleva la palma, no creo que haya en Europa otra que desempeñe con más perfección que la de Saboya el papel tan difícil como desagradable de reinar y no gobernar, pero la dinastía de Saboya está sujeta a muchas alternativas, a los naturales ascensos y descensos de las cosas temporales, a la decadencia y hasta la extinción, en tanto que la Santa Sede representa una dinastía espiritual, impersonal e indestructible, que rige sus asuntos por períodos seculares y que ha visto nacer y morir, no ya poderes dinásticos, sino sociedades enteras. Entre dos poderes de tan diferente fuerza espiritual, la lucha es imposible: el poder espiritual, aunque no lo desee, tiene que destruir el poder político, y la culpa no será del primero, sino del segundo, que ha osado empeñar una partida desmesuradamente superior a sus fuerzas.

La idea de la unidad política no tiene un valor absoluto, y está subordinada a otras que tienen ya su arraigo en la vida. En España no hay ningún Papa y no hemos constituido la unidad ibérica; en Italia pudieron también aceptar una solución más respetuosa con la realidad: en vez de una nación simétrica, con Roma por capital y la amenaza constante de un conflicto insoluble, pudieran fundar algo menos regular y perfecto, pero más firme y durable, La consolidación de la unidad italiana, tal como hoy existe, requiere el aniquilamiento del Pontificado; pero como la empresa no está al alcance de ninguna dinastía, habrán de continuar existiendo en una misma ciudad dos poderes antagónicos, de los cuales triunfará uno, el más fuerte, esto es, el espiritual, sin necesidad de auxilio ajeno, contra la oposición de los adversarios, por el hecho solo de la coexistencia.

La cuestión de Oriente es también mixta, política y religiosa; pero de un orden completamente distinto. El problema consiste en destruir una dominación discordante del resto de Europa, en expulsar un pueblo refractario al cruce de sangre y de ideas; y las fuerzas puestas en juego son intereses políticos y simpatías acaso más aparatosas que sinceras en pro de los cristianos sometidos al poder turco; bien que no falten espíritus inspirados por legítima emoción que, como el profesor belga Kurth, pidan poco menos que la resurrección de las Cruzadas. El poder

mahometano es siempre terrible, por muy hundido
que se halle; es como el mar: se retira y vuelve; pero
esto no es razón para que se le destruya. En el mundo no se debe de destruir nada, porque todo existe
por algo y para algo. Hay que tener amplitud de
ideas y comprender que la vida es susceptible de
muchas formas, en las que hay siempre algo bueno.
El cristianismo, por su esencia, está incapacitado
para acudir a los procedimientos brutales; tiene que
defenderse, pero sólo hasta asegurar su independencia y su libertad de pacífica propagación.

Por esto no hay que confundir la protección de
los cristianos sometidos a la dominación turca con
la acción puramente política de Europa en Turquía.
Los que claman contra la dominación turca y dicen
de ella que es baldón y oprobio de Europa, parten
de un concepto geográfico mezquino, porque si esa
dominación ha de existir, ¿qué problema se ha resuelto con empujarla hacia el Asia Menor, donde
continuaría cometiendo los mismos atropellos que
hoy comete? O hay que expulsar a los turcos de todos los territorios habitados por cristianos, o hay
que tolerar su dominación e impedir que den rienda
suelta a su fanatismo. Una expulsión total es obra
imposible, y para conseguir lo segundo no hay remedio más eficaz que conservar la Turquía en Europa, donde las naciones europeas puedan ejercer su
acción combinada sobre seguro. Es más: Turquía en
Europa es una fuerza casi nula, que camina por sus
pasos contados a colocarse bajo la tutela del continente, mientras que Turquía en Asia no tardaría en
levantar la cabeza y en ser una fuerza temible; en
Europa está lejos de su centro territorial, del núcleo
de su poder y apenas si logra sostenerse entre tantos
peligros como la cercan; en Asia, desligada de com-
promisos, dirigida acaso por gente nueva, sería un
criadero de combatientes fanáticos que recomenza-
rían la lucha. Recuérdese cómo el islamismo, que-

brantado por las Cruzadas, repitió su acometida, aún más furiosa que la primera, contra Europa, por Oriente, al presentarse en escena el pueblo turco. El islamismo es peligroso si se le deja dominar grandes territorios unidos entre sí y constituidos en federación religiosa; porque el islamismo no se propaga individualmente, sino en forma de irrupciones violentas, rápidas, en diversas direcciones, dentro de su demarcación natural geométrica y a veces traspasándola y acometiendo a pueblos extraños. Así, una renovación de las fuerzas del Islam sería posible si cualquiera de las sectas que continuamente nacen de él tuviera libertad para extenderse en todos sentidos y llegara a reconstruir la unidad necesaria para el combate. Una política europea previsora debe de encaminarse a fraccionar el Islam, a interceptar esas corrientes, fijando en diferentes puntos intermedios centros de poder que sirvan de aisladores entre estados mahometanos independientes, pero nunca a destruir por completo la independencia política del islamismo, que por el hecho de existir tiene perfecto derecho a mantener poderes políticos autónomos. Cualquier idea religiosa que encarne en una raza y constituya un centro de poder y cree intereses históricos exige ser respetada en su independencia política hasta tanto que con el tiempo se destruye y desaparece: si queremos quebrantar un poder, luchemos por destruir la idea que lo sostiene; pero mientras la idea subsiste, es grandemente abusivo encadenarla bajo la opresión de la fuerza, y además de abusivo, arriesgado. Si fuera posible reducir al vasallaje todos los territorios dominados hoy por el Islam, veríamos cómo se constituía en el acto una «confederación de vencidos», y cómo, por debajo de la acción dominadora de Europa, comenzaba a circular en secreto la palabra maravillosa, la consigna para el día de la rebelión. Todas las rivalidades que hoy existen entre los poderes mahometanos,

carcomidos por la inacción, desaparecerían, quedando en lugar de ellas una rivalidad formidable: la del
cristianismo vencedor y el mahometismo vencido,
humillado, pero de ninguna manera anulado ni destruido.

* * *

Ni por el Norte, ni por el Occidente, ni por el
Oriente hallará España una promesa de engrandecimiento mediante la acción política exterior: no encontraremos ni una finalidad bien marcada para
nuestra política, ni la exuberancia de fuerzas que
impulsa hacia la acción reflexiva, hacia las empresas
del instinto, que brotan espontáneas del espíritu del
territorio. Necesitamos reconstruir nuestras fuerzas
materiales para resolver nuestros asuntos interiores,
y nuestra fuerza ideal para influir en la esfera de
nuestros legítimos intereses externos, para fortificar
nuestro prestigio en los pueblos de origen hispánico.
En cuanto a la restauración ideal, nadie pondrá en
duda que debe de ser obra nuestra exclusiva; podremos recibir influencias extrañas, orientarnos es-
tudiando lo que hacen y dicen otras naciones; pero
mientras no españolicemos nuestra obra, mientras lo
extraño no esté sometido a lo español y vivamos en
la incertidumbre en que hoy vivimos, no levantare-
mos cabeza. Nuestra debilidad intelectual se patenti-
za en la incoherencia de nuestra cultura, formada de
retazos de diferentes colores como la vestimenta de
los mendigos; pero tocante a nuestra restauración
material los pareceres no son ya tan unánimes. Hay
quien espera «aún» la herencia milagrosa, como si
tuviéramos muchos tíos en las Indias. Después de
varios siglos de andar arrastrándonos por los suelos,
no queremos todavía caer en la cuenta de que hay
que confiarlo todo a nuestro esfuerzo, y que para
trabajar, que es lo que interesa, tenemos hoy por

hoy dentro de España más tierra, más luz y más aire que necesitamos.

Hay quien confía en las colonias, como si no supiéramos que con nuestro sistema de colonización las colonias nos cuestan más que nos dan; y esto no admite reforma ni necesita reforma tampoco. La verdadera colonia debe costar algo a la metrópoli, puesto que colonizar no es ir al negocio, sino civilizar pueblos y dar expansión a las ideas. Dejemos a otros pueblos practicar la colonización utilitaria y continuemos nosotros con nuestro sistema tradicional que, malo o bueno, es al fin nuestro. Estamos ya demasiado avanzados para cambiar de rumbo, y aunque quisiéramos no podríamos tomar otro nuevo, y aunque pudiéramos no adelantaríamos nada con superponer a un edificio construido con arreglo a nuestras ideas un cuerpo más de estilo diferente, copiado quizá sin discernimiento. No hemos podido formar un concepto propio sobre la colonización a la moderna; atengámonos al antiguo; prosigámoslo con tenacidad, aunque choque con las ideas corrientes; porque si nosotros no tenemos fe en las obras que creamos, ¿quién la tendrá por nosotros y cuál será nuestra misión en la Historia futura?

No ha mucho leí yo una obra de un político o viajante inglés sobre *Los pueblos y la política en Extremo Oriente,* en la cual es censurada con tan extremada dureza nuestra acción colonial en Filipinas, que no puedo estampar aquí, por impedírmelo cierta invencible repugnancia, ninguno de los conceptos de aquel esbozo crítico. En él, sin quererlo el autor, traza la línea divisoria de los dos métodos de colonización empleados por los antiguos conquistadores y los modernos comerciantes. No he de discutir aquí el valor relativo de uno y otro sistema: sólo diré que me gusta más el antiguo, porque era más noble y desinteresado. Pero esto no quita para que se reco-

nozca que la colonización a la moderna es útil a las
naciones que la practican, en tanto que la antigua
colonización representa para la metrópoli una pérdida de fuerzas que a primera vista no ofrecen un resultado beneficioso, pero que a la larga fructifican
donde deben fructificar, esto es, en las colonias.

Así, pues, nosotros no podemos contar con la
ayuda de nuestras colonias, y justo es que se sepa
que de ellas sólo hemos de recibir el mismo pago
que recibimos de las que se emanciparon: sólo podemos aspirar a que el mantenimiento de nuestra dominación no nos cueste demasiados sacrificios, y
para ello hemos de abrir un poco la mano; renunciar a la dominación «materialista», a la que hoy
nos condena nuestra postración intelectual, y conceder más importancia que a la administración directa
de las colonias por la metrópoli, a la conservación
de nuestro prestigio, un tanto quebrantado por las
pretensiones egoístas de los detentadores y usufruc-
tuarios del poder político.

Hay quien cree que el término fatal de la colonización es la emancipación de las colonias. A mi juicio, este concepto es teórico. También los hijos pueden emanciparse, y los códigos establecen cuándo y
cómo se pierde la patria potestad, y, sin embargo,
muchos hijos no se emancipan nunca, ni piensan siquiera en la emancipación. Pasan de un estado civil
a otro diferente sin notar la diferencia, y a nadie se
le ocurre esperar que llegue el día marcado por la
ley para decirle al padre: desde hoy ha cesado usted
en el ejercicio de las funciones que hasta aquí ha venido desempeñando. Sólo en casos extremos se rigen
los hombres por el texto de las leyes, y sólo en casos
extremos luchan las colonias por conquistar su independencia. Si merced a una política hábil, y más que
hábil desinteresada, se mantiene la debida unidad de
ideas y sentimientos entre una metrópoli y sus colonias, se puede aplicar sin peligro el régimen autonó-

mico, que conducirá, no a la emancipación, sino a la confederación de las colonias autónomas con su metrópoli, y de esta suerte, la autonomía no será un primer paso hacia la emancipación: será el comienzo de una unión más íntima, lograda mediante el sacrificio de eso que yo he llamado dominación materialista. Pero estas delicadezas políticas no son siempre prácticas, porque requieren el concurso de hombres especialmente educados para tan difíciles empeños, y no todas las naciones poseen hombres de esta clase. Si se implanta un régimen autonómico y se continúa haciendo uso de los viejos procedimientos gubernativos, el fracaso es seguro, y antes que llegar a él es preferible o la dominación franca y firmemente sostenida, o la emancipación franca y lealmente otorgada.

Esta manera de juzgar nuestros asuntos parecerá de seguro pesimista, porque, como ya he dicho, estamos habituados a la idea de que el engrandecimiento de una nación ha de conseguirse agrandando el territorio o trayendo a él riquezas ganadas en territorios extraños o en las colonias. Nuestro concepto de la grandeza continúa siendo material y cuantitativo, y quienquiera que trabaje por desarraigar y destruir las aspiraciones fantásticas de nuestra nación es mirado como hombre de poca fe. Supongamos que en un cauce que lleva poca agua hay dos saltos o caídas de igual altura, y que dos ingenieros tratan de aprovecharlos para esta o aquella especie de fabricación: el uno monta una industria pequeña, proporcionada al motor, y desde el primer momento obtiene un resultado útil; el otro construye una fábrica de proporciones imponentes, que no puede funcionar por falta de agua. Para los que ven las cosas por fuera, que desgraciadamente son los más, el ingeniero que construyó en grande es un hombre de genio, y el que estableció la pequeña industria un

hombre de facultades muy escasas, incapaz de elevadas concepciones. Para los pocos que no se conten-
ten con ver la fachada y examinen lo que hay dentro
de ambos edificios, el hombre de genio se convertirá
en poco menos que un idiota, y el que parecía tener
pocos alcances revelará ser una persona sabia y dis-
creta: el uno, trabajando en grande, ha demostrado
su ineptitud para lo grande y para lo pequeño; el
otro, obrando en pequeño, ha demostrado su capacidad para lo pequeño y para lo grande.

La fábrica española ha estado parada durante lar-
gos años por falta de motor; hoy empieza a moverse
porque hemos aligerado o nos han aligerado el arte-
facto, y ya hay quien desea volver a las antiguas
complicaciones, en vez de trabajar por aumentar la
escasa fuerza motriz de que hoy disponemos. De
aquí la necesidad perentoria de destruir las ilusiones
nacionales; y el destruirlas no es obra de desespera-
dos: es obra de noble y legítima ambición, por la
cual comenzamos a fundar nuestro positivo engrandecimiento. La grandeza o la pequeñez de las naciones no depende de la extensión del territorio ni del
número de habitantes. Bajo la Casa de Austria, España fue una nación inmensa, y por serlo cayó en la
postración y en la parálisis; en tiempo de Carlos II,
España fue como una ballena muerta flotando en el
mar e interceptando el paso a los navegantes; en
cambio, unas cuantas provincias desligadas de España, las Provincias Unidas, hábilmente gobernadas
por Guillermo de Orange, se transformaban en centro político de Europa y contrarrestaban el poder a
la sazón omnipotente de Francia.

Este hecho, notado por Macaulay, tiene una explicación naturalísima. Los Países Bajos, dominados
por España, eran no más que territorios habitados
por hombres; al hacerse independientes, se convirtieron en nacionalidad. La unión política no aumentaba las fuerzas; al contrario, las anulaba, porque es-

tas fuerzas eran antagónicas. Nosotros gastábamos
nuestras energías en destruir la resistencia de los
Países Bajos, y éstos gastaban las suyas luchando
contra nuestra dominación; aunque la unión hubiera
sido constantemente pacífica, la fuerza no hubiera
aumentado, por ser opuestas las aspiraciones políticas territoriales. Holanda, independiente, movida
por sus propias ideas, era una nación más fuerte,
más ágil que el gran imperio español, paralizado,
impotente para coordinar en una acción bien determinada los esfuerzos perdidos en sostener el equilibrio entre varias políticas contradictorias.

Cuando se invoca el respeto a las tradiciones, ha
de precisarse bien qué se entiende por tradiciones.
España comienza ahora una nueva evolución, o ha
de comenzarla en breve, y en ella ha de continuar
siendo la España tradicional: esto es inevitable,
puesto que los españoles de hoy descendemos sin
mezclas extrañas de los españoles antiguos, y conti-
nuamos viviendo en nuestra casa solariega; los griegos de hoy tienen poca sangre helénica (y hay quien
cree que no tienen ninguna), y, sin embargo, aspiran
a enlazar su historia contemporánea con la historia
de Grecia. Pero lo que nosotros debemos tomar de
la tradición es lo que ella nos da o nos impone: el
espíritu. En cuanto a los hechos, hay que examinar-
los de cerca y ver el valor real que tienen, porque
muchos no sirven para nada y otros son perjudicia-
les. La mayor parte de nuestra historia moderna es
un contrasentido político, por el que hemos venido
a caer donde ahora nos vemos: si la nueva evolución
se empalma con la antigua y se guía por las indicaciones que se desprenden de los hechos tradicionales, no adelantaremos jamás un paso. Una nación
que se halla en su apogeo puede resistir desviaciones
políticas no justificadas con rigor por sus intereses
territoriales; pero una nación que comienza a adqui-

rir fuerzas tiene que ser más exclusivista y no distraerse en aventuras peligrosas; aun en aquellos casos en que la acción está más justificada, hay que contar con medios amplios para sostenerla, medios materiales, y muy principalmente energía espiritual, adquirida mediante la comprensión exacta de la obra que se intenta, el conocimiento previo de lo que la obra ha de ser; en suma, la «realización ideal de la obra como tipo de realización material».

Una dirección tradicionalmente señalada a nuestra política exterior es la que se designa generalmente diciendo que hay que cumplir el testamento de Isabel la Católica. El porvenir de España está en África, y las aspiraciones nacionales se escapan por esa última abertura, como si estuvieran aprisionadas en nuestro territorio y buscasen en la huida la libertad. He aquí un ejemplo más de verdadero pesimismo: el de los que desconfían de las fuerzas propias de su nación, y creen que ésta no será grande en tanto que no se le añada algún pedazo de tierra donde, ya que otra cosa no se consiga, tengamos al menos el gusto de que ondee el pabellón nacional.

En materia de colonización africana, España no ha podido hacer más que reservarse el dominio de aquella parte del litoral africano que en manos extranjeras pudiera ser un vecinazgo peligroso para nuestras posesiones tradicionales. No estaba en su mano acometer nuevos trabajos de colonización, máxime si había de colonizar por el sistema absurdo y censurable empleado hoy en África.

Las razas africanas no son comparables a las americanas o asiáticas: están en un grado bastante inferior de evolución y no pueden resistir la cultura europea; lo más sensato hubiera sido desparramar por todo el litoral y ríos navegables de África factorías y misiones, que fuesen como la levadura que hiciese fermentar las cualidades nativas de los africanos; pero esta obra requería mucho tiempo; hoy se carece de paciencia, y si alguna se tuviese, las rivalidades políticas darían con ella al traste; así, pues, se ha acudido a la dominación directa, a las invasiones en el interior, y cuando es preciso para asegurar la buena marcha de los negocios, a la matanza de los pueblos que se pretendía civilizar. Se parte de Europa con ideas de redención y se llega a África con ideas de negociante; y al regreso no se aplaude al que ha trabajado más por mejorar la suerte de la raza negra, sino al que ha matado más o al que ha amasado más crecida fortuna.

Sin embargo, cuando en España se invoca el testamento de Isabel la Católica, las ideas se fijan principalmente en el norte de África, y hoy, por necesidad, en lo único que queda en pie con vida independiente: el Imperio marroquí. Éste es el cuarto de los puntos cardinales, el Sur, de que aún no habíamos tratado, y no faltará quien piense que después de cerrar todas las puertas de la nación, debe dejarse esta última abierta para no quedarnos completamente a oscuras. Yo entiendo que la política africana era muy natural después de terminada la Reconquista, y si a ella hubiéramos consagrado todas las fuerzas nacionales, hubiéramos fundado un poder político indestructible, tanto porque nacía lógicamente de nuestra historia medieval, cuanto porque no hubiera chocado con los intereses de Europa; pero el tiempo no pasa en balde, y el tiempo ha traído grandes cambios. El poder musulmán se halla en tal estado de postración, que ha menester de quien lo proteja para que no lo destruyan demasiado pronto; los resentimientos acumulados durante la Edad Media, aunque refrescados de vez en cuando, no son hoy lo que eran hace cuatro siglos; y por último, y esta es la razón más poderosa, nosotros no somos ya un pueblo pujante ansioso de expansión, aunque por

rutina pidamos expansiones: somos un pueblo expe-
rimentado y escarmentado que, por falta de memoria, aprovecha poco y mal sus escarmientos y su experiencia.

España tiene un interés, demasiado visible para
que necesite de aclaraciones, por conservar el territorio del otro lado del Estrecho alejado, cuanto más
mejor, de la acción política de Europa, y este interés
por nadie estará mejor servido que por los que actualmente lo sirven. Si nosotros nos dejásemos llevar
de esos deseos tradicionales, sin contar, como no
contamos hoy, con los medios indispensables para
completar la obra del ejército y de la política, y lográsemos establecer nuestro protectorado o dominación sobre Marruecos, quizá no seviríamos más que
de introductores de los famélicos comerciantes de
Europa; y en tanto que éstos recogían la utilidad
práctica del cambio de poder, nosotros recogeríamos
la odiosidad del pueblo dominado, que veía en
nuestra acción la causa manifiesta de todos los ataques dirigidos contra sus sentimientos exclusivistas y
por naturaleza refractarios a la civilización europea.
Seríamos, pues, factores inconscientes de intereses
contrarios a nuestros intereses y obreros de nuestra
propia ruina. La guerra de África es una prueba patente de que la política africana no está apoyada
aún por intereses vitales de nuestra nación, sino por
entusiasmos populares, vagos, indefinidos. Cuando
se acomete una empresa exigida por una necesidad
real de expansión, de abrir campo a las energías
exuberantes de un país, la victoria militar, sean cuales fueren los obstáculos que se interpongan, deja
detrás de sí más profundo rastro que el que ha dejado nuestra victoria.

Una restauración de la vida entera de España no
puede tener otro punto de arranque que la concentración de todas nuestras energías dentro de nuestro

territorio. Hay que cerrar con cerrojos, llaves y can-
dados todas las puertas por donde el espíritu español se escapó de España para derramarse por los
cuatro puntos del horizonte, y por donde hoy espera
que ha de venir la salvación; y en cada una de esas
puertas no pondremos un rótulo dantesco que diga:
Lasciate ogni speranza, sino este otro más consola-
dor, más humano, muy profundamente humano,
imitado de San Agustín: *Noli foras ire; in interiore
Hispaniae habitat veritas.*

C

Si contrastamos el pensamiento filosófico de una
obra maestra de arte con el pensamiento de la nación en que tuvo origen, veremos que, con independencia del propósito del autor, la obra encierra un
sentido, que pudiera llamarse histórico, concordante
con la historia nacional: una interpretación del espíritu de esta historia. Y cuanto más estrecha sea la
concordancia, el mérito de la obra será mayor, porque el artista saca sus fuerzas invisiblemente de la
confusión de sus ideas con las ideas de su territorio,
obrando como un reflector en el que estas ideas se
cruzan y se mezclan, y adquieren al cruzarse y mezclarse la luz de que separadas carecían. Una de las
obras mayores de nuestro teatro es *La vida es sueño,*
de Calderón: en ella, en un caso psicológico individual que tiene un valor simbólico universal, nos da
el artista una explicación clara, lúcida y profética de
nuestra historia. España, como Segismundo, fue
arrancada violentamente de la caverna de su vida
oscura de combates contra los africanos, lanzada al
foco de la vida europea y convertida en dueña y señora de gentes que ni siquiera conocía; y cuando
después de muchos y extraordinarios sucesos, que
parecen más fantásticos que reales, volvemos a la

razón de nuestra antigua caverna, en la que nos hallamos al presente encadenados por nuestra miseria y nuestra pobreza, preguntamos si toda esa historia fue realidad o fue sueño, y sólo nos hace dudar el resplandor de la gloria que aún nos alumbra y seduce como aquella imagen amorosa que turbaba la soledad de Segismundo y le hacía exclamar: «Sólo a una mujer amaba — que fue verdad creo yo, — pues que todo se acabó — y esto sólo no se acaba.»

Un pueblo no puede, y si puede no debe, vivir sin gloria; pero tiene muchos medios de conquistarla, y además la gloria se muestra en formas varias: hay la gloria ideal, la más noble, a la que se llega por el esfuerzo de la inteligencia; hay la gloria de la lucha por el triunfo de los ideales de un pueblo contra los de otro pueblo; hay la gloria del combate feroz por la simple dominación material; hay la gloria más triste de aniquilarse mutuamente en luchas interiores. España ha conocido todas las formas de la gloria, y desde hace largo tiempo disfruta a todo pasto de la gloria triste: vivimos en perpetua guerra civil. Nuestro temperamento, excitado y debilitado por inacabables períodos de lucha, no acierta a transformarse, a buscar un medio pacífico, ideal, de expresión y a hablar por signos más humanos que los de las armas. Así vemos que cuantos se enamoran de una idea (si es que se enamoran), la convierten en medio de combate; no luchan realmente porque la idea triunfe; luchan porque la idea exige una forma exterior en que hacerse visible, y a falta de formas positivas o creadoras aceptan las negativas o destructoras: el discurso, no como obra de arte, sino como instrumento de demolición; el tumulto, el motín, la revolución, la guerra. De esta suerte, las ideas, en vez de servir para crear obras durables, que, fundando algo nuevo, destruyen indirectamente lo viejo e inútil, sirven para destruirlo todo, para asolarlo todo, para aniquilarlo todo, pereciendo ellas también entre las ruinas.

Es indispensable forzar nuestra nación a que se desahogue racionalmente, y para ello hay que infundir nueva vida espiritual en los individuos y por ellos en la ciudad y en el Estado. Nuestra organización política hemos visto que no depende del exterior; no hay causa exterior que aconseje adoptar esta o aquella forma de gobierno: nuestras aspiraciones de puertas afuera o son infundadas o utópicas, o realizables a tan largo plazo, que no es posible distraer a causa de ellas la atención y continuar viviendo a la expectativa. La única indicación eficaz que del examen de nuestros intereses exteriores se desprende es que debemos robustecer la organización que hoy tenemos y adquirir una fuerza intelectual muy intensa, porque nuestro papel histórico nos obliga a transformar nuestra acción de material en espiritual. España ha sido la primera nación europea engrandecida por la política de expansión y de conquista; ha sido la primera en decaer y terminar su evolución material, desparramándose por extensos territorios, y es la primera que tiene ahora que trabajar en una restauración política y social de un orden completamente nuevo: por tanto, su situación es distinta de la de las demás naciones europeas, y no debe de imitar a ninguna, sino que tiene que ser ella la iniciadora de procedimientos nuevos, acomodados a hechos nuevos también en la Historia. Ni las ideas francesas, ni las inglesas, ni las alemanas, ni las que puedan más tarde estar en boga, nos sirven, porque nosotros, aunque inferiores en cuanto a la influencia política, somos superiores, más adelantados en cuanto al punto en que se halla nuestra natural evolución; por el hecho de perder sus fuerzas dominadoras (y todas las naciones han de llegar a perderlas), nuestra nación ha entrado en una nueva fase de su vida histórica y ha de ver cuál dirección le está marcada por sus intereses actuales y por sus tradiciones.

El problema político que España ha de resolver no tiene precedentes claros y precisos en la Historia. Una nación fundadora de numerosas nacionalidades logra, tras un largo período de decadencia, reconstituirse como fuerza política animada por nuevos sentimientos de expansión: ¿qué forma ha de tomar esta segunda evolución para enlazarse con la primera y no romper la unidad histórica a que una y otra deben de subordinarse? Porque aquí la unidad no es un artificio, sino un hecho; el artificio sería cortar con la tradición y pretender comenzar a vivir nuestra vida, como si fuéramos un pueblo nuevo, acabado de sacar del horno. España tiene acaso caminos abiertos para emprender rumbos diferentes de los que le señala su historia; pero un rompimiento con el pasado sería una violación de las leyes naturales, un cobarde abandono de nuestros deberes, un sacrificio de lo real por lo imaginativo. Ninguna nueva acción exterior puede conducirnos a restaurar la grandeza material de España, a reconquistarle el alto rango que tuvo; nuestras nuevas empresas serían como las pretensiones de esos viejos impenitentes que, en lugar de resignarse y consagrarse al recuerdo de sus nobles amores juveniles, se arrastran en busca de nuevos amores fingidos, de nuevas caricias pagadas, de parodias risibles, cuando no repugnantes, de las bellas escenas de la vida sentimental. En cambio, si por el solo esfuerzo de nuestra inteligencia lográsemos reconstituir la unión familiar de todos los pueblos hispánicos, e infundir en ellos el culto de unos mismos ideales, de nuestros ideales, cumpliríamos una gran misión histórica y daríamos vida a una creación, grande, original, nueva en los fastos políticos; y al cumplir esa misión no trabajaríamos en beneficio de una idea generosa, pero sin utilidad práctica, sino que trabajaríamos por nuestros intereses, por intereses más trascendentales que la conquista de unos cuantos pedazos de territorio. Puesto que hemos agotado nuestras fuerzas de expansión material, hoy tenemos que cambiar de táctica y sacar a la luz las fuerzas que no se agotan nunca, las de la inteligencia, las cuales existen latentes en España y pueden, cuando se desarrollen, levantarnos a grandes creaciones que, satisfaciendo nuestras aspiraciones a la vida noble y gloriosa, nos sirvan como instrumento político, reclamado por la obra que hemos de realizar. Desde este punto de vista, las cuestiones políticas a que España consagra principalmente su atención sólo merecen desprecio. Vivimos imitando, debiendo de ser creadores; pretendemos regir nuestros asuntos por el ejemplo de los que vienen detrás de nosotros, y andamos a caza de formas de gobierno, de exterioridades políticas, sin pensar jamás qué vamos a meter dentro de ellas para que no sean pura hojarasca.

La organización de los poderes públicos no es materia muy difícil, no exige ciencia ni arte extraordinarios, sino amplitud de criterio y buena voluntad. Una sociedad que comprende sus intereses organiza el poder del modo más rápido posible y pasa a otras cuestiones más importantes; una nación que vive un siglo constituyéndose no es nación seria; en ese hecho sólo da a entender que no sabe a dónde va, y que por no saberlo se entretiene discutiendo el camino que conviene seguir. Los poderes no son más que andamiajes; deben de estar hechos con solidez para que se pueda trabajar sobre ellos sin temor a accidentes: lo esencial es la obra que, ya de un modo, ya de otro, se ejecuta. La obra de restauración de España está muy cerca del cimiento; el andamiaje sube hasta donde con el tiempo podrá llegar el tejado, y hay gentes insaciables e insensatas que no están contentas todavía. La falta de fijeza que se nota en la dirección de nuestra política general es sólo un reflejo de la falta de ideas de la nación; de la tendencia universal a resolverlo todo mediante auxilios extraños, no por propio y personal esfuerzo: la nación entera aspira a la acción exterior, a una acción indefinida y no comprendida que realce nuestro mermado prestigio; las ciudades viven en la mendicidad ideal y económica, y todo lo esperan del Estado; sus funciones son reglamentarias y materiales: cuando conciben algo grande, no es ninguna grandeza ideal, sino una grandeza cuantitativa, el ensanche, que viene a ser una reducción de la idea de agrandamiento nacional por medio de la anexión de territorios o terrenos que no nos hacen falta; los individuos trabajan lo suficiente para resolver el problema de no trabajar, de suplir el trabajo personal que requiere gasto de iniciativas y de energías por alguna función rutinaria, concuerde o no concuerde con las aptitudes o los escasos conocimientos adquiridos. En suma, las esperanzas están siempre cifradas en cambio exterior favorable, no en el trabajo constante e inteligente.

Dadas estas ideas, los cambios políticos sirven sólo para torcer más los viciados instintos. Un ejemplo muy claro nos ofrecen nuestras universidades. Se creyó encontrar el remedio para nuestra penuria intelectual infundiendo a los centros docentes nueva savia, transformándolos de escuelas cerradas en campos abiertos, como se dice, a la difusión de toda clase de doctrinas. Y la idea era buena, y lo sería si no estuviera reducida a un cambio de rótulo. Porque la libertad de la cátedra no es buena ni mala en sí: es un procedimiento que puede ser útil o inútil, como el antiguo, según el uso que de él se haga. La enseñanza exclusivista sería buena si los principios en que se inspira tuviesen vigor bastante, sin necesidad de las excitaciones de la controversia, para

mantener vivas y fecundas las ciencias y las artes de
la nación: por este sistema tendríamos una cultura
un tanto estrecha de criterio e incompleta; pero, en
cambio, tendríamos la unidad de inteligencia y de
acción. Sólo cuando las doctrinas decaen y pierden
su fuerza creadora se hace necesario introducir levadura fresca que las haga de nuevo fermentar. La enseñanza libre (y no hablo de las formas ridículas que
en la práctica ha tomado en España) tiene también,
como todas las cosas, dos asas por donde cogerla: el
punto flaco es la falta de congruencia entre las diferentes doctrinas, el desequilibrio intelectual que las
ideas contradictorias suelen producir en las cabezas
poco fuertes; la parte buena es la impulsión que se
da al espíritu para que con absoluta independencia
elija un rumbo propio y se eleve a concepciones originales. Nosotros hemos tocado el mal, pero no el
bien. Se decía que la enseñanza católica nos condenaba a la atrofia intelectual; la libertad de enseñanza nos lleva a un rápido embrutecimiento. Sabemos
que en esta o aquella universidad existen rivalidades
seudocientíficas, porque leemos u oímos que los
adherentes a los diversos bandos han promovido un
tumulto o han venido a las manos como carreteros.
Lo que no había antes ni ahora, salvo honradísimas
excepciones, es quien cultive la ciencia científicamente y el arte artísticamente; se han perdido todos
los pesos y todas las medidas, salvándose sólo una:
la de las funciones públicas; sea cual fuere la especie
y mérito de una obra, sabemos que no será estimada
sino después que el autor ocupe un buen puesto en
los escalafones sociales. De aquí la subordinación de
todos nuestros trabajos, de nuestros escasos trabajos, al interés puramente exterior; y aún hay mérito
en los que los subordinan puesto que la generalidad
los suprime del todo y se contenta con los puestos
de los escalafones. Las universidades, como el Estado, como los Municipios, son organismos vacíos; no

son malos en sí, ni hay que cambiarlos; no hay que romper la máquina: lo que hay que hacer es echarle ideas para que no ande en seco. Para romper algo, rompamos el universal artificio en que vivimos, esperándolo todo de fuera y dando a la actividad una forma exterior también; y luego transformaremos la charlatanería en pensamientos sanos y útiles, y el combate externo que destruye en combate interno que crea. Así es como se trabaja por fortalecer los poderes públicos, y así es como se reforman las instituciones.

* * *

Si yo fuese consultado como médico espiritual para formular el diagnóstico del padecimiento que los españoles sufrimos (porque padecimiento hay y de difícil curación), diría que la enfermedad se designa con el nombre de «no querer», o en términos más científicos por la palabra griega «aboulia», que significa eso mismo, «extinción o debilitación grave de la voluntad»; y la sostendría, si necesario fuera, con textos de autoridades y examen de casos clínicos muy detallados, pues desde Esquirol y Maudsley hasta Ribot y Pierre Janet hay una larga serie de médicos y psicólogos que han estudiado esta enfermedad, en la que acaso se revela más claramente que en ninguna otra el influjo de las perturbaciones mentales sobre las funciones orgánicas.

Hay una forma vulgar de la abulia que todos conocemos y a veces padecemos. ¿A quién no le habrá invadido en alguna ocasión esa perplejidad del espíritu, nacida del quebranto de fuerzas o del aplanamiento consiguiente a una inacción prolongada, en que la voluntad, falta de una idea dominante que la mueva, vacilante entre motivos opuestos que se contrabalancean, o dominada por una idea abstracta, irrealizable, permanece irresoluta, sin saber qué hacer y sin determinarse a hacer nada? Cuando tal situación de pasajera se convierte en crónica, constituye la abulia, la cual se muestra al exterior en la repugnancia de la voluntad a ejecutar actos libres. En el enfermo de abulia hay un principio del movimiento, que demuestra que la voluntad no se ha extinguido en absoluto; pero ese movimiento actúa débilmente y rara vez llega a su término. No es un movimiento desordenado que pueda ser confundido con los del atáxico: hay en un caso debilidad, y en otro falta de coordinación; y tanto es así, que en la abulia, fuera de los actos libres, los demás, los psicológicos, los instintivos, los producidos por sugestión, se realizan ordenadamente.

Los síntomas intelectuales de la abulia son muchos: la atención se debilita tanto más cuanto más nuevo o extraño es el objeto sobre el cual hay que fijarla; el entendimiento parece como que se petrifica y se incapacita para la asimilación de ideas nuevas: sólo está ágil para resucitar el recuerdo de los hechos pasados; pero si llega a adquirir una idea nueva, falto de contrapeso de otras, cae de la atonía en la exaltación, en la «idea fija» que le arrastra a la «impulsión violenta».

En las enfermedades hay, al lado de los casos típicos, casos similares; en esta de que aquí se trata, el número de los primeros no es muy crecido, mientras que el de los segundos es abrumador: en España, por ejemplo, hay muchos enfermos de la voluntad, y como consecuencia un estado de «abulia colectiva». Yo no profeso la sociología metafórica que considera las naciones como organismos tan bien determinados como los individuales. La sociedad es sólo una resultante de las fuerzas de sus individuos: según éstos se organicen, podrán producir una acción intensa o débil, o neutralizarse por la oposición, y la obra total participará siempre del carácter de los que concurren a crearla.

El individuo, a su vez, es una reducción fotográfica de la sociedad: la vida individual fisiológica es una combinación de la energía vital interna con las fuerzas exteriores absorbidas y asimiladas; la vida espiritual se desarrolla de un modo análogo, nutriéndose el espíritu de los elementos ideales que la sociedad conserva como almacenados, según la expresión de Foullée. En este sentido, creo yo que es provechosa la aplicación de la psicología individual a los estados sociales, y la patología del espíritu a la patología política.

En nuestra nación se manifiestan todos los síntomas de la enfermedad que padecemos la mayoría de los españoles: realízanse los actos fisiológicos y los instintivos; como funciona el organismo individual para vivir, así trabaja la sociedad para vivir; el trabajo, que es libre para el individuo, para la sociedad es necesario, a menos que se trate de pueblos vagabundos; igualmente el ocultar la riqueza a las investigaciones del fisco es acto social tan instintivo como el de cerrar los ojos ante el amago de un golpe. Los actos que no encontramos son los de libre determinación, como sería el intervenir conscientemente en la dirección de los negocios públicos. Si en la vida práctica la abulia se hace visible en el no hacer, en la vida intelectual se caracteriza por el no atender. Nuestra nación hace ya tiempo que está como distraída en medio del mundo. Nada le interesa, nada la mueve de ordinario; mas de repente una idea se fija, y no pudiendo equilibrarse con otras, produce la impulsión arrebatada. En estos últimos años hemos tenido varios movimientos de impulsión típica producidos por ideas fijas: integridad de la patria, justicia histórica y otras semejantes. Todas nuestras obras intelectuales se resienten de esta falta de equilibrio, de este error óptico; no vemos simultáneamente las cosas como son, puestas en sus lugares respectivos, sino que las vemos a retazos, hoy

unas, mañana otras: la que un día estaba en primer
término ocultando las demás, al siguiente queda ol-
vidada porque viene otra y se le pone delante.

Son innumerables las opiniones emitidas para explicar el origen de la abulia: en un principio estuvo
considerada como una forma de la locura, y los alie-
nistas la bautizan con el nombre de «delirio de contacto», fijándose sólo en el hecho exterior característico de la enfermedad. Según esta teoría, nuestra nación podría ser considerada como una jaula de locos
rarísimos, atacados de una manía extraña: la de no
poder sufrirse los unos a los otros. Yo no acepto
esta opinión, porque, como dije, en los enfermos de
abulia las perturbaciones de la voluntad no revelan
desorden, sino abatimiento de la energía funcional.
A excepción de Ribot, que se inclina a creer que la
causa de tan curioso estado patológico es de naturaleza sentimental, la falta de deseos, todos los patólo-
gos por distintos caminos llegan a encontrarse, a
coincidir en el parecer de que la causa es una perturbación de las funciones intelectuales. Janet, que publicó hace algunos años un curioso estudio de observación personal sobre «Un caso de abulia e ideas fijas», cree que el aniquilamiento de la voluntad
proviene de la falta de atención, y, por consiguiente,
de percepción. Sin embargo, de aparecer estos síntomas con carácter constante, creo yo que no es posible marcar entre ellos una relación de causalidad;
porque las facultades intelectuales exteriorizadas
participan de la voluntad, y así puede afirmarse que
la voluntad es débil porque la atención es inconstan-
te y la percepción confusa, como decirse que la atención no es viva ni la percepción clara porque la voluntad no es intensa.

La actividad espiritual exteriorizada es un reflejo
de la actividad íntima; en el acto de crear, esto es
axiomático: ¿cómo concebir que hay un cerebro va-

cío detrás de la obra genial del sabio o del artista, o
un espíritu helado en los transportes de la pasión?
Como la falta de apetito material denota una dismi-
nución de la actividad digestiva, así también la falta
de apetito espiritual, manifestada en la desidia de las
facultades que actúan exteriormente, revela una debilitación de esa energía asimiladora interna que los
aristotélicos llamaban entendimiento agente y los
positivistas sentido sintético, que no es otra cosa
que la inteligencia misma funcionando según la ley
de asociación. Así, pues, la causa de la abulia es, a
mi juicio, la debilitación del sentido sintético, de la
facultad de asociar las representaciones. En relación
con lo pasado, la inteligencia funciona con regulari-
dad, porque la memoria se encarga de reproducir
ideas cuya asociación estaba ya formada; pero en relación con lo presente, el trabajo mental, que para
los individuos sanos es fácil y agradable, como es
fácil y agradable la digestión cuando se come con
buen apetito, para los enfermos de no querer es difícil y doloroso; las representaciones suministradas
por los sentidos se convierten en datos intelectuales
irreductibles, que unas veces, las más, se extinguen
sin dejar huella, y otras se fijan penosamente, como
agujas clavadas en el cerebro, y producen gravísimas
perturbaciones.

    ¿Qué relación guarda la debilitación del sentido
sintético y la falta de voluntad? La misma que la
idea y el acto libre, tan estrecha que se ha llegado a
fundir una y otra en una sola entidad: de aquí la
idea-fuerza, la idea-voluntad y otros términos nuevos de los filósofos a la moda. En el acto voluntario
hay dos elementos que engendran un tercero: un individuo y una idea que producen una energía. El individuo contiene en sí, personalmente unificados, los
elementos que recibió por herencia, o que adquirió
por su trabajo, o por el simple hecho de vivir en sociedad. La representación o la idea está en el indivi-

duo, como las líneas y colores sobre el fondo de un cuadro: sobre un mismo fondo se pueden trazar infinitas líneas y combinar infinitos colores. Según rija o no la idea de asociación, de esa variedad nacerá la creación artística o el borrón confuso, informe. Cuando las representaciones intelectuales, como los colores y las líneas, se agrupan alrededor de ideas céntricas, van siendo más claras a medida que el número de ellas va aumentando. Es, pues, inmenso el valor de la facultad sintética, sin la cual los esfuerzos intelectuales son vanos y aun contraproducentes, a la manera que lo serían las pinceladas de un ciego que intentara pintar o retocar un cuadro. En el enfermo de abulia las ideas carecen de esta fundamental condición: la sociabilidad. Por lo cual sus esfuerzos intelectuales carecen de eficacia: en unos casos, la idea fija, que es la que influye más enérgicamente sobre la voluntad, produce la determinación arrebatada, violenta, que alguien confunde con la del alienado; en otros, la idea abstracta o la idea ya vieja, reproducida por la memoria, engendran el deseo débil, impotente, irrealizable; no existen las ideas más fecundas, las ideas sanas que nacen del estudio reflexivo y de la observación consciente de la realidad.

La voluntad colectiva funciona de una manera análoga. Las sociedades tienen personalidad, ideas, energías. Aunque la conciencia colectiva no se muestre tan clara y determinada como la de un individuo, existe y puede obrar mediante actos colectivos, que obedecen a ideas colectivas en el fondo, no obstante aparecer concentradas en un reducido número de inteligencias. Si la idea de un gran estadista fuese arbitraria o caprichosa, ajena al pensamiento y al sentimiento generales, no podría adelantar un paso. La que parece idea original de un hombre, es sólo interpretación de ideas o deseos vagos, indeterminados, que la sociedad siente, sin acertar a darles la expresión propia y exacta. Y en tanto que el pensamiento de una nación no está claramente definido, la acción tiene que ser débil, indecisa, transitoria. El sentido sintético es en la sociedad, y en particular en quienes la dirigen, la capacidad para obrar conscientemente, para conocer bien sus propios destinos. Hay naciones en las que se observa por encima de las divergencias secundarias una rara y constante unanimidad para «comprender sus intereses». Esta comprensión parece tan clara como la de un individuo que en un momento cualquiera, recordando su pasado y examinando su situación presente, se da cuenta precisa de lo que es o de lo que representa.

En otras sociedades, por el contrario, predomina el desacuerdo; los intereses parciales, que son como las representaciones aisladas en los individuos, no se sintetizan en un interés común, porque falta el entendimiento agente, la energía interior que ha de fundirlos; las apreciaciones individuales son irreductibles, y la actividad derivada de ellas tiene que ser pobre y desigual. Unas veces el móvil será la tradición, que jamás puede producir, aunque otra cosa se crea, un impulso enérgico, porque en la vida intelectual lo pasado, así como es centro poderoso de resistencia, es principio débil de actividad; otras veces se obedecerá a una fuerza extraña, pues las sociedades débiles, como los artistas de pobre ingenio, suplen con las imitaciones la falta de propia inspiración. Ya el interés secundario se colocará transitoriamente en primer término y producirá desviaciones, retrocesos, trastornos en la marcha de la sociedad; ya la idea del interés general, más que conocida, vislumbrada, creará un estado momentáneo de falsa energía y de actividad engañosa; echándose siempre de menos la idea clara, precisa, del interés común, y la acción constante, serena, que se encamina a realizarlo.

De lo dicho se infiere cuán disparatado es pretender que nuestra nación recobre la salud perdida por medio de la acción exterior; si en lo poco que hoy hacemos revelamos nuestra flaqueza, ¿qué ocurriría si intentáramos acelerar más el movimiento? La restauración de nuestras fuerzas exige un régimen prudente, de avance lento y gradual, de subordinación absoluta de la actividad a la inteligencia, donde está la causa del mal y a donde hay que aplicar el remedio. Para que la acción sea útil y productiva, hay que pensar antes de obrar, y para pensar se necesita, en primer término, tener cabeza. Este importante órgano nos falta desde hace mucho tiempo, y hay que crearlo, cuéstenos lo que nos cueste. No soy yo de los que piden un genio, investido de la dictadura; un genio sería una cabeza artificial que nos dejaría luego peor que estamos. El origen de nuestra decadencia y actual postración se halla en nuestro exceso de acción, en haber acometido empresas enormemente desproporcionadas con nuestro poder; un nuevo genio dictador nos utilizaría también como fuerzas ciegas, y al desaparecer, desapareciendo con él la fuerza inteligente, volveríamos a hundirnos sin haber adelantado un paso en la obra de restablecimiento de nuestro poder, que debe de residir en todos los individuos de la nación y estar fundado sobre el concurso de todos los esfuerzos individuales.

* * *

Se habrá notado que el motivo céntrico de mis ideas es la restauración de la vida espiritual de España; pero falta ahora precisar el concepto, porque están las palabras españolas tan estropeadas por el mal uso, que nada significan mientras no se las comenta y se las aclara. Cuando yo hablo de restauración espiritual, no hablo como quien desea redondear un párrafo, valiéndose de frases bellas o sonoras; hablo con la buena fe de un maestro de escuela. No voy a proponer la creación de nuevos centros

docentes ni una nueva ley de Instrucción Pública:
todas las leyes son ineficaces mientras no se destruyen las malas prácticas, y para destruirlas, la ley es
mucho menos útil que los esfuerzos individuales; y
en cuanto a los centros docentes, tal como hoy existen, aunque se suprimiera la mitad, no se perdería
gran cosa. Yo he conocido de cerca más de dos mil
condiscípulos, y a excepción de tres o cuatro, ninguno estudiaba más que lo preciso para desempeñar, o
mejor dicho, para obtener un empleo retribuido.
Nuestros centros docentes son edificios sin alma;
dan a lo sumo el saber; pero no infunden el amor al
saber, la fuerza inicial que ha de hacer fecundo el
estudio cuando la juventud queda libre de tutela. Si
en este punto hubiera de intentarse algo por los legisladores, el cambio más provechoso sería la sus-
titución de las oposiciones hoy en uso por el examen
de «obras» de los aspirantes; en lugar de esos palen-
ques charlatanescos, donde, como en las carreras de
caballos, triunfa, no el que tiene más inteligencia,
sino el que tiene mejor resuello y patas más largas,
pondría yo reuniones familiares, donde en contacto
directo los que juzgan y los que son juzgados se ha-
blara sin artificio, se examinara el trabajo personal
que cada pretendiente presentase y se apreciara la
capacidad de cada uno, y, lo que es más importante,
el servicio que de él podía esperar la nación. Con
este sistema, la juventud, que pierde el tiempo pre-
parándose para ingresar en este o aquel escalafón,
aprendiendo a contestar de memoria cuestionarios
fofos e incoherentes, se vería forzada a crear obras,
entre las que no sería extraño que saliese alguna
buena.

El peso principal del combate, creo yo, deben de
llevarlo las personas inteligentes y desinteresadas,
que comprendan la necesidad de restablecer nuestro
prestigio; pocos ejemplares tenemos de hombres po-

seídos por el patriotismo silencioso, pero cuando
aparece alguno, ése vale él solo por una universidad.
Mas para que los esfuerzos individuales ejerzan un
influjo benéfico en la nación hay que encaminarlos
con mano firme, porque en España no basta lanzar
ideas, sino que hay antes que quitarles la espoleta
para que no estallen. A causa de la postración intelectual en que nos hallamos, existe una tendencia
irresistible a transformar las ideas en instrumentos
de combate: lo corriente es no hacer caso de lo que
se habla o escribe; mas si por excepción se atiende,
la idea se fija y se traduce, como ya vimos, en impulsión. Por esto, los que propagan ideas sistemáti-
cas, que dan vida a nuevas parcialidades violentas,
en vez de hacer un bien hacen un mal, porque mantienen en tensión enfermiza los espíritus. A esas
ideas que incitan a la lucha las llamo yo ideas «picudas»; y por oposición, a las ideas que inspiran amor
a la paz las llamo «redondas». Este libro que estoy
escribiendo es un ideario que contiene sólo ideas redondas: no estoy seguro de que lo lean, y sospecho
que si alguien lo lee no me hará caso, pero estoy
convencido de que si alguien me hiciera caso, habría
un combatiente menos y un trabajador más.

El procedimiento que yo uso para redondear mis
ideas está al alcance de todo el mundo. Vemos muchas veces que en una familia los pareceres andan
divididos: por ejemplo, y el caso es frecuente, varios
hermanos siguen diversas carreras, o toman diferentes rumbos, o llegan a hallarse en oposición por
cuestiones pecuniarias; los sentimientos de fraternidad son puestos a prueba. En unas familias la idea
de unión es más poderosa que los intereses parciales; nadie abdica, pero todos transigen cuanto es necesario para que el rompimiento no llegue; en otras
la unión queda destruida por la vanidad, el orgullo
o el exclusivismo, y sobreviene la lucha, más enco-
nada que entre extraños, porque entre extraños se

lucha sólo por defender ideas o intereses opuestos,
mientras que en familia hay que luchar por ideas o
intereses y también por romper los vínculos de la
sangre. ¿Qué salen ganando las ideas o los intereses
luchando con obcecación y con saña? Hay quien
cree que para atestiguar la fe en las ideas se debe de
combatir para que triunfen, y en esta creencia absurda se apoyan cuantos en España convierten las
ideas en medio de destrucción. La verdad es, al contrario, que la fe se demuestra en la adhesión serena
e inmutable a las ideas, en la convicción de que ellas
solas se bastan para vencer cuando deben de vencer.
Los grandes creyentes han sido mártires; han caído
resistiendo, no atacando. Los que recurren a la fuerza para defender sus ideas dan a entender, por esto
sólo, que no tienen fe ni convicción, que no son más
que ambiciosos vulgares que desean la victoria inmediata para adornarse con laureles contrahechos y
para recibir el precio de sus trabajos.

Las ideas no aventajan nada con declarar la guerra a otras ideas; son mucho más nobles cuando se
acomodan a vivir en sociedad, y para conseguir esto
es para lo que hay que trabajar en España. Sea líci-
to profesar y propagar y defender toda clase de
ideas, pero «intelectualmente», no al modo de los
salvajes. Desde el momento que una idea acata la
solidaridad intelectual de una nación y transige lo
necesario para que los sentimientos fraternales no se
quiebren, se transforma en una fuerza utilísima, porque incita a los hombres al trabajo individual; no
crea parcialidades exclusivistas y demoledoras; crea
cerebros sanos y robustos, que no producen sólo actos y palabras, sino algo mejor: obras.

Casi todos los hombres notables que hasta hace
veinte años se dedicaban a echar abajo lo poco que
quedaba de nuestra nación, han confesado sus ye-
rros y dedicado la segunda parte de su vida a reha-
cer lo que habían deshecho en la primera. Esta con-

ducta, muy digna de alabanza, debería decir algo a
la gente nueva que ahora comienza a abrirse camino
y a la juventud imberbe que anda por institutos y
universidades.

Abundan los que se pasan de listos, los que imi-
tan esa conducta con excesiva puntualidad; los que
comienzan ahora los trabajos de demolición y se re-
servan para la vejez el arrepentimiento, cuando, después de satisfechos los apetitos de medro personal,
les sea más llevadero el dolor de ver que su país sigue en ruinas. Lo natural es que por todos sea imitada la parte buena del ejemplo, y que no se busque
deliberadamente la ocasión de tener que arrepentirse
más tarde.

Aparte de esa cualidad esencial de las ideas, paréceme que se adelantaría mucho, para hacerlas aún
más útiles y apropiadas a la obra de nuestra restauración espiritual, si se las expusiese en forma ágil, li-
brándolas del fárrago enfadoso con que hoy se las
oscurece por exigencias de la moda. Muy bello sería
que cuantos cogen una pluma en sus manos se ima-
ginaran antes que no se había inventado la impren-
ta, ni la fabricación de papel barato, ni la legislación
con propiedad intelectual. La opinión corriente es
hoy favorable a la obra voluminosa, quizá porque
así es más segura la decisión de no leerla. Un libro
grande —se piensa— da importancia a quien lo
compone: aunque sea malo, inspira respeto y ocupa
un buen espacio en los estantes de las bibliotecas.
Un libro pequeño no tiene defensa posible: si es
bueno, será mirado a lo sumo como un ensayo o
como una promesa; si es malo, sólo servirá para poner al autor en ridículo. Mi idea es completamente
opuesta. Un libro grande, pienso, sea bueno o malo,
pasa muy pronto a formar parte de la obra muerta
de las bibliotecas; un libro pequeño, si es malo, deja
ver a las claras que no sirve, y muere al primer em-

bate; si es bueno, puede ser como un manual o breviario, de uso corriente por su poco peso y por su
baratura, y de gran eficacia para la propagación de
las ideas que encierra. A mi opinión, pues, me aten-
go, y como demostración práctica citaré esta misma
obra, la cual, en su primitiva concepción, me exigía
dos volúmenes de tamaño más que mediano, y al fin
se ha sometido a mi voluntad y se ha conformado
con tener un centenar de páginas. Un hombre de
buena voluntad dice en cien páginas todo cuanto
tiene que decir, y dice muchas cosas que no debía
decir.

Yo tengo fe en el porvenir espiritual de España;
en esto soy acaso exageradamente optimista. Nuestro engrandecimiento material nunca nos llevaría a
oscurecer el pasado; nuestro florecimiento intelectual convertirá el Siglo de Oro de nuestras artes en
una simple anunciación de este Siglo de Oro que yo
confío ha de venir. Porque en nuestros trabajos tendremos de nuestra parte una fuerza hoy desconocida, que vive en estado latente en nuestra nación, al
modo que en el símil con que comencé este libro vivían en el alma de la mujer casada contra su gusto
y madre fecundísima contra su deseo, los nobles y
puros y castos sentimientos de la virginidad. Esa
fuerza misteriosa está en nosotros, y aunque hasta
ahora no se ha dejado ver, nos acompaña y nos vi-
gila; hoy es acción desconcertada y débil, mañana
será calor y luz y, hasta si se quiere, electricidad y
magnetismo.

He aquí un hecho digno de que fijemos en él
nuestra atención. ¿Cómo se explica que siendo en
general los pueblos pobladores de Europa de una
raza común, los griegos hayan sido y sean aún los
dictadores espirituales de todos los demás grupos
arios o indoeuropeos? La razón es clara: mientras

los demás grupos quedaban incomunicados en sus nuevos territorios, los griegos seguían en contacto con Asia y recibían de las razas semíticas los gérmenes de su cultura. Los indoeuropeos tienen cualidades admirables, pero carecen de una esencial para la vida: el fuego ideal que engendra las creaciones originales; son valientes, enérgicos, tenaces, organizadores y dominadores; pero no crean con espontaneidad. Un eminente profesor alemán, Ihering, autor de un libro de mucho fondo sobre *Prehistoria de los indoeuropeos,* ha hecho un estudio sutilísimo acerca del influjo de las inmigraciones arias en la antigua organización de Roma, del cual se desprende que esta organización arranca del período de las emigraciones. Aquellas bandas o tribus puestas en movimiento y avanzando por territorios desconocidos tuvieron que crear autoridades ambulantes, hábiles para regular la marcha, y al establecerse definitivamente transformaron esas autoridades ya inútiles en instituciones, en «supersticiones» o sobrevivencias, en las que después se ha creído ver una concepción religiosa puramente ideal. Así, por ejemplo, el *ver scrum* era una reminiscencia del período primaveral, en el que la marcha, suspendida durante el invierno, era reanudada; los pontífices fueron en su origen constructores de puentes, y su influencia nació de la importancia extraordinaria que en realidad hubo de tener para los inmigrantes la construcción de puentes sobre los ríos que les atajaban el paso; los adivinos romanos no fueron profetas llenos de divina inspiración; fueron en su origen algo parecido a batidores o exploradores, que por las trazas del suelo, por el canto de las aves o por señales astronómicas y cuantos signos encontraban (signos de *coelo, pedestria, ex avibus, ex tripudiis,* etc.), esto es, por «auspicios», determinaban el itinerario más conveniente o más seguro. Si fuera posible conocer a fondo los orígenes de todas las instituciones originales

de los pueblos arios, veríamos cómo todas ellas fueron inspiradas por la dura necesidad, no por arranque ideal, espontáneo; cuando la cultura grecorromana perdió su fuerza y fue necesario que viniera
algo nuevo, vino el cristianismo, creación semítica;
de suerte que los dos puntales que sostienen el edificio social en que hoy habitamos, el helenismo y el
cristianismo, son dos fuerzas espirituales que por caminos muy diversos nos han enviado los pueblos se-
míticos. En general, puede establecerse como ley histórica que, dondequiera que la raza indoeuropea se
pone en contacto con la semítica, surge un nuevo y
vigoroso renacimiento ideal. España, invadida y dominada por los bárbaros, da un paso atrás hacia la
organización falsa y artificiosa; con los árabes reco-
bra con creces el terreno perdido y adquiere el individualismo más enérgico, el sentimental, que en
nuestros místicos encuentra su más pura forma de
expresión. Los árabes no nos dieron ideas; su influjo
no fue intelectual, fue psicológico. La distancia que
hay entre un mártir de los primeros tiempos del cristianismo y Santa Teresa de Jesús marca el camino
recorrido por el espíritu español en los ocho siglos
de lucha contra los árabes. Así, pues, los que con
desprecio y encono sistemático descartan de nuestra
evolución espiritual la influencia arábiga, cometen
un crimen psicológico y se incapacitan para comprender el carácter español.

Nuestro Renacimiento no fue un renacimiento
clásico, fue nacional; y aunque produjo algunas
obras magistrales, quedó incompleto, como dije, por
la desviación histórica a que la fatalidad nos arras-
tró; pero como la fuerza impulsora está en la constitución natural étnica o psíquica que los diversos
cruces han dado al tipo español, tal como hoy existe, debemos confiar en el porvenir: esa fuerza que
hoy es un obstáculo para la vida regular de la na-

ción, porque se la aplica a lo que no debe aplicárse-
la, ha de sufrir un desdoblamiento; el individualismo
indisciplinado que hoy nos debilita y nos impide levantar cabeza ha de ser algún día individualismo interno y creador, y ha de conducirnos a nuestro gran
triunfo ideal. Tenemos lo principal, el hombre, el
tipo; nos falta sólo decidirle a que ponga manos en
la obra.

Todos los pueblos tienen un tipo real o imaginado
en quien encarnan sus propias cualidades; en todas
las literaturas encontraremos una obra maestra en la
que ese hombre típico figura entrar en acción, ponerse en contacto con la sociedad de su tiempo y
atravesar una larga serie de pruebas donde se aqui-
lata el temple de su espíritu, que es el espíritu propio de su raza. Ulises es el griego por excelencia; en
él se reúnen todas las virtudes de un ario, la pruden-
cia, la constancia, el esfuerzo, el dominio de sí mismo, con la astucia y fertilidad de recursos de un se-
mita; comparémosle con cualquiera de los conducto-
res de pueblos germánicos, y veremos, con más
precisión que pesándola en una balanza, la cantidad
de espíritu que los griegos tomaron de los semitas.
Nuestro Ulises es don Quijote, y en don Quijote notamos a primera vista una metamorfosis espiritual.
El tipo se ha purificado más aún, y para poder moverse tiene que librarse del peso de las preocupaciones materiales, descargándolas sobre un escudero;
así camina completamente desembarazado, y su acción es una inacabable creación, un prodigio humano, en el que se idealiza todo cuanto idealmente se
concibe. Don Quijote no ha existido en España antes de los árabes, ni cuando estaban los árabes, sino
después de terminada la Reconquista. Sin los árabes, don Quijote y Sancho Panza hubieran sido
siempre un solo hombre, un remedo de Ulises. Si
buscamos fuera de España un Ulises moderno, no
hallaremos ninguno que supere al Ulises anglosajón,

a Robinson Crusoe; el italiano es un Ulises teólogo, el Dante mismo, en su *Divina Comedia,* y el alemán un Ulises filósofo, el *Doctor Fausto,* y ninguno de los dos es un Ulises de carne y hueso. Robinson sí es un Ulises natural, pero muy rebajado de talla, porque su semitismo es opaco, su luz es prestada; es ingenioso solamente para luchar con la naturaleza; es capaz de reconstruir una civilización material; es un hombre que aspira al mando, al gobierno «exterior» de otros hombres; pero su alma carece de expresión y no sabe entenderse con otras almas. Sancho Panza, después de aprender a leer y escribir, podría ser Robinson; y Robinson, en caso de apuro, aplacaría su aire de superioridad y se avendría a ser escudero de don Quijote.

Así como creo que para las aventuras de la dominación material muchos pueblos de Europa son superiores a nosotros, creo también que para la creación ideal no hay ninguno con aptitudes naturales tan depuradas como las nuestras. Nuestro espíritu parece tosco, porque está embastecido por luchas brutales; parece flaco, porque está sólo nutrido de ideas ridículas, copiadas sin discernimiento, y parece poco original, porque ha perdido la audacia, la fe en sus propias ideas, porque busca fuera de sí lo que dentro de sí tiene. Hemos de hacer acto de contrición colectiva; hemos de desdoblarnos, aunque muchos nos quedemos en tan arriesgada operación, y así tendremos pan espiritual para nosotros y para nuestra familia, que lo anda mendigando por el mundo, y nuestras conquistas materiales podrán ser aún fecundas, porque al renacer hallaremos una inmensidad de pueblos hermanos a quienes marcar con el sello de nuestro espíritu.

Helsingfors, octubre 1896.

EL PORVENIR DE ESPAÑA

PRIMERA PARTE

A Ángel Ganivet

I

Espero no haya usted dado a completo olvido, amigo y compañero Ganivet, aquellas para mí felices tardes de junio de 1891, en que trabamos unas relaciones demasiado pronto interrumpidas, mucho antes, sin duda, de que llegásemos a conocernos uno a otro más por dentro. Débole por mi parte confesar que, al volver al cabo de los años a saber de usted y al conocerle de nuevo en sus escritos, me he encontrado con un hombre para mí nuevo, y de veras nuevo, un hombre nuevo, como los que tanta falta nos hacen en esta pobre España, ansiosa de renovación espiritual.

Su *Idearium español* ha sido una verdadera revelación para mí. Al leerle, me decía: «Torpe de mí, que no le conocí entonces..., éste, éste es aquel que tales cosas me dijo de los gitanos una tarde en el café en libre charla.»

Esa libre y ondulante meditación del *Idearium* merece, en verdad, no haber despertado en España ni los entusiasmos ni las polémicas que obra análoga hubiese provocado en otro país más dichoso, y lo merece así por la misma merced, por la que mereció abandonar la vida sin haber recibido el premio a que se había hecho acreedor aquel Agatón Tinoco, cuya muerte tan hermosamente usted nos narra. Vale más que su obra haya entrado a paso tan quedo que no el que hubiese hecho rebrotar a su cuenta el centón de sandeces y simplezas aquí de rigor en casos tales.

El *Idearium* se me presenta como alta roca a cuya cima orean vientos puros, destacándose del pantano de nuestra actual literatura, charca de aguas muertas y estancadas de donde se desprenden los miasmas que tienen sumidos en fiebre palúdica espiritual a nuestros jóvenes *intelectuales*. No es, por desgracia, ni la insubordinación ni la anarquía lo que, como usted insinúa, domina en nuestras letras; es la ramplonería y la insignificancia que brotan como de manantial de nuestra infilosofía y nuestra irreligión, es el triunfo de todo género que no haga pensar.

En tal estado de cosas, al contacto espiritual con obras tales como su *Idearium,* se fortifica en el ánimo el santo impulso de la sinceridad, tan cohibida y avergonzada como anda por acá la pobre. Porque entre tantos *prestigios* de que según dicen necesitamos con urgencia, nadie se acuerda del prestigio de la verdad, ni nadie se para tampoco a reflexionar en que nunca es una verdad más oportuna que cuando menos lo parezca serlo a los que de prudentes se precian y se pasan. En este sentido no conozco en España hombre más oportuno que el señor Pi y Margall. Espera a que la muela le duela para recomendar su extracción.

Oportunísimo es ahora ese su libro de honrada sinceridad, ese valiente *Idearium* en que afirma usted que «en presencia de la ruina espiritual de España hay que ponerse una piedra en el sitio donde está el corazón y hay que arrojar aunque sea un millón de españoles a los lobos, si no queremos arrojarnos todos a los puercos».

Sí, como usted dice muy bien, España, como Segismundo, fue arrancada de su caverna y lanzada al foco de la vida europea, y «después de muchos y extraordinarios sucesos, que parecen más fantásticos que reales, volvemos a la razón en nuestra antigua caverna, en la que nos hallamos al presente encadenados por nuestra miseria y nuestra pobreza, y preguntamos si toda esa historia fue realidad o fue sueño». Sueño, sueño y nada más que sueño ha sido mucho de eso, tan sueño como la batalla aquella de Villalar, de que usted habla, y que, según parece, no ha pasado de sueño, y si la hubo, no fue en todo caso más batalla que la de Cavite, que de tal no ha tenido nada.

No está mal que soñemos, pero acordándonos, como Segismundo, de que hemos de despertar de este gusto al mejor tiempo, atengámonos a obrar bien,

«pues no se pierde
el hacer bien ni aun en sueños».

[*La vida es sueño*, III, 3.]

Hay otro hermoso símbolo de nuestra España moribunda, según Salisbury, y es aquel honrado hidalgo manchego Alonso Quijano, que mereció el sobrenombre de Bueno, y que al morir se preparó a nueva vida renunciando a sus locuras y a la vanidad de sus hazañosas empresas, volviendo así a su muerte en su provecho lo que había sido en su daño.

Pero de esto y de la necesaria muerte de toda nación en cuanto tal, y de su más probable transformación futura, diré lo que me ocurra en otro capítulo.

Para él dejo la tarea de exponer con entera sinceridad las reflexiones que su preñado *Idearium* me ha sugerido acerca del porvenir de los pueblos agremia-

dos en naciones y Estados y acerca del porvenir de
nuestra España sobre todo. Empezaré por don Quijote.

II

Don Quijote y su escudero Sancho son en el dualismo armónico que manteniéndolos distintos los
unía, símbolo eterno de la humanidad en general y
de nuestro pueblo español muy en especial. Por lo
común, desconociendo el idealismo sanchopancesco,
el alto idealismo del hombre sencillo que quedando
cuerdo sigue al loco, y a quien la fe en el loco le da
esperanza de ínsula, solemos fijarnos en don Quijote
y rendir culto al quijotismo, sin perjuicio de escarne-
cerlo cuando por culpa de él nos vemos quebranta-
dos y molidos.

Una enfermedad es trastorno del funcionamiento
fisiológico normal, pero rarísima vez destrucción de
éste.

La locura, que es trastorno del juicio, lo perturba,
pero no lo destruye. Cada loco es loco de su cordura, y sobre el fondo de ésta disparata, conservando
al perder el juicio su indestructible carácter y su fondo moral.

Así conservó don Quijote, bajo los desatinos de
su fantasía descarriada por los condenados libros, la
sanidad moral de Alonso el Bueno, y esta sanidad es
lo que hay que buscar en él. Ella le inspiró su hermoso razonamiento a los cabreros; ella le dictó
aquellas razones de alta justicia, como usted bien in-
dica, amigo Ganivet, en que basó la liberación de
los galeotes.

Pero sucede, por mal de nuestros pecados, que
cuando se invoca en España a don Quijote es siempre que se acomete a molinos de viento, o cuando la
tramamos con pacíficos frailes de San Benito, o
para acometer sin razón ni sentido a algún nuevo

caballero vizcaíno. Conviene, pues, ver el fondo inmoral de la quijotesca locura.

Las empecatadas lecturas de los mentirosos libros de caballerías, última escoria de aquel híbrido monstruo de paganismo real y cristianismo aparente que se llamó ideal caballeresco; tales lecturas despertaron en el honrado hidalgo la vanidad y la soberbia que duerme en el pozo de toda alma humana. Preocupábase de pasar a la Historia y dar que cantar a los romances; creíase uno de los «ministros de Dios en la Tierra y brazos por quien se ejecuta en ella su justicia», y de tal modo le engañó el enemigo que bajo sombra de justicia fue a imponer a los demás su espíritu y a erigirse en árbitro de los hombres. Cuando Vivaldo le arguyó el que no se acordasen los caballeros andantes antes de Dios que de su dama, esquivó la definitiva respuesta.

Me llevaría muy lejos el disertar acerca de lo profundamente anticristiano e inhumano, por lo tanto, al fin y al cabo, que resultan el ideal caballeresco, el pundonor del duelista, la tan decantada hidalguía y todo heroísmo que olvida el evangélico «no resistáis al mal». Nunca me he convencido de lo religioso del llamado derecho de defensa, como de ninguno de los males, supuestos *necesarios*, como es la guerra misma. Si el fin del cristianismo no fuese libertarnos de esas *necesidades,* nada tendría de sobrehumano. A lo imposible hay que tender, que es lo que Jesús nos pidió al decirnos que fuésemos perfectos como su Padre.

Y volviendo a nuestro Quijote, creo yo que las más de las desdichas del español son fruto de sus pecados, como las de todos los pueblos. Nuestro pecado capital fue y sigue siendo el carácter impositivo y un absurdo sentido de la unidad. Mientras otros pueblos se acercaron a éstos o aquéllos para explotarlos, en lo que sin duda cabe beneficio a la vez que explotación mutuas, nos empeñamos nosotros en imponer nuestro espíritu, creencias e ideales, a gentes de una estructura espiritual muy diferente a la nuestra. En Europa misma combatimos a éstos o a aquéllos porque tenían sobre tal o cual punto la idea, cuando resulta, en fin de cuenta, que nosotros no teníamos ninguna.

Más de una vez se ha dicho que el español trató de *elevar* al indio a sí, y esto no es en el fondo más que una imposición de soberanía. El único modo de elevar al prójimo es ayudarle a que sea más *él* cada vez, a que se depure en su línea propia, no en la nuestra. Vale, sin duda, más un buen guaraní o un tagalo que un mal español.

«Colonizar no es ir al negocio, sino civilizar pueblos y dar expansión a las ideas», dice usted. Y yo digo: ¿a qué ideas? Y, además, el ir al negocio, ¿no puede resultar acaso el medio mejor y más práctico de civilizar pueblos? Con nuestro sistema no hemos conseguido ni aun lo que Pío Cid en el reino de Maya. Yo no sé si como ha habido civilización china, asiria, caldea, judaica, griega, romana, etc., cabrá civilización tagala; pero es el hecho que nada hemos puesto por despertarla, contentándonos con provocar entre los indígenas filipinos el fetichismo seudocristiano.

«No por culpa mía, sino de mi caballo, estoy aquí tendido», gritaba don Quijote con arrogancia. Así nos sucede a nosotros, tendidos por culpa de los malos Gobiernos, después de no haber llevado otro camino que el que quieren éstos, que en ello consiste la fuerza de las aventuras.

Y viendo que no podemos menearnos, acordamos de acogernos a nuestro ordinario remedio, que es pensar en algún paso de nuestros libros de Historia, pues todo cuanto pensamos, vemos o imaginamos, nos parece ser hecho y pasar al modo de lo que hemos leído. ¡Esa condenada Historia que no nos deja ver lo que hay debajo de ella!

«Hemos tenido, después de períodos sin unidad de carácter, un período hispano-romano, otro hispano-visigótico y otro hispano-árabe; el que les sigue será un período hispano-europeo o hispano-colonial; los primeros de constitución y el último de expansión. Pero no hemos tenido un período español puro, en el cual nuestro espíritu, constituido ya, diese sus frutos en su propio territorio; y por no haberlo tenido, la lógica exige que lo tengamos y que nos esforcemos por ser nosotros los iniciadores.»

Esto es pensar con tino, amigo Ganivet. Don Quijote, molido y quebrantado y vencido por el caballero de la Blanca Luna, tiene que volver a su aldea; y desechando ensueños de hacerse pastorcico y de convertir a España en una Arcadia, prepárase a bien morir, renaciendo en el reposado hidalgo Alonso el Bueno.

«¡Verdaderamente se muere y verdaderamente está cuerdo Alonso Quijano el Bueno!», salió exclamando el cura cuando don Quijote hizo su última confesión de culpas y de locuras. Es lo que debemos aspirar a que de nosotros se diga. ¿Es que tiene acaso que morir España para volver en su juicio?, exclamará alguien. Tiene, sí, que morir don Quijote para renacer a nueva vida en el sosegado hidalgo que cuide de su lugar, de su propia hacienda. Y si se me arguye que el mismo hidalgo Alonso murió en cuanto volvió a su juicio, diré que creo firmemente que el fin de las *naciones* en cuanto tales está más próximo de lo que pudiera creerse —que no en vano el socialismo trabaja— y que conviene se prepare cada cual de ellas a aportar al común acervo de los pueblos lo más puro, es decir, lo más cristiano de cada una. De la perfecta cristianización de nuestro pueblo es de lo que se trata.

III

«Duele decirlo, pero hay que decirlo, porque es verdad; después de diecinueve siglos de apostolado, la idea cristiana pura no ha imperado un solo día en el mundo.» Ni imperará, amigo Ganivet, mientras haya naciones y con ellas guerras, ni tampoco imperará en España mientras no nos libertemos del pagano moralismo senequista, cuya exterior semejanza con la corteza del cristianismo hasta a usted mismo ha engañado.

La nación, como categoría histórica transitoria, es lo que más impide que se depure, espiritualice y cristianice el sentimiento patriótico, desligándose de las cadenas del terruño, y dando lugar al sentimiento de la patria espiritual.

La nación, y la Historia con ella, es el capullo que protege la vida del patriotismo en larva; pero si ha de convertirse en mariposa espiritual que se bañe en luz y sea fecunda, tiene que romper y abandonar el capullo.

El desarrollo de esto me llevaría muy lejos y tampoco quiero extractar aquí lo que antes de ahora he escrito acerca de la crisis del patriotismo. Lo que sí haré será tomar nota de la mención que al final de su obra hace usted de Robinson, el héroe típico de la raza anglosajona.

Con tener, como usted dice, Robinson su semitismo opaco, no hace sino ganar mucho, y en lo de que carezca su alma de expresión no concuerdo con usted, porque ni es la palabra, ni siquiera la idea, la única expresión del alma. «Los ingleses —dice Carlyle— son un pueblo mudo, pueden llevar a cabo grandes hechos, pero no descubrirlos.» De los griegos en cambio tal vez quepa decir la inversa; toda la grandeza de Aquiles es de Homero.

Don Quijote se creó un mundo ideal que le hizo andar a tajos y mandobles con el real y efectivo y trastornar cuanto tocaba sin enderezar de verdad tuerto alguno, y Robinson reconstruyó un mundo real y tangible sacándolo de la naturaleza que le rodeaba, allí donde el caballero manchego, sin las alforjas de Sancho, se hubiese muerto de hambre, a pesar de jactarse de conocer las yerbas.

Un pueblo nuevo tenemos que hacernos sacándolo de nuestro propio fondo, Robinsones del espíritu, y ese pueblo hemos de irlo a buscar a nuestra roca viva en el fondo popular que con tanto ahínco explora don Joaquín Costa, investigador, a la vez que del derecho consuetudinario, de la antigüedad ibérica. No creo un absurdo aquello de la instauración de las costumbres celtibéricas, anteriores a los tiempos de la dominación romana, en que soñaba Pérez Pujol, pero lo que creo más vital es la completa despaganización de España. De los árabes no quiero decir nada, les profeso una profunda antipatía, apenas creo en eso que llaman civilización arábiga y considero su paso por España como la mayor calamidad que hemos padecido.

No ahínca usted en su libro en la concepción religiosa española ni en la obra de su cristianización, y aun me parece que en esto no ha llegado usted a aclarar sus conceptos. Sólo así me explico lo que en la página 23 dice usted de la Reforma, juzgándola con notoria injusticia y, a mi entender, con algún desconocimiento de su íntima esencia, así como del «verdadero sentido del cristianismo», que ha de hallarse en la fe que permanece bajo las disputas de los hombres. Así me explico también que al principiar su libro confunda usted el dogma de la Concepción Inmaculada con el de la virginidad de la madre de Jesús.

Es una lástima el que los espíritus más geniales, más vigorosos, más sinceros y más elevados de nuestra patria no hayan trabajado lo debido sus concepciones y sentimientos religiosos, y que en este país,

que se precia de muy católico, sea general la semiig-
norancia en cuanto al catolicismo y su esencia, aun
entre los teólogos. La llamada *fe implícita* ha tomado un desarrollo que debe espantar a toda alma sinceramente cristiana.

Es menester que nos penetremos de que no hay
reino de Dios y justicia sino en la paz, en la paz a
todo trance y en todo caso, y que sólo removiendo
todo lo que pudiere dar ocasión a guerra es como
buscaremos el reino de Dios y su justicia, y se nos
dará todo lo demás de añadidura.

Y no prosigo ni despliego *por ahora* las ideas que
acabo de apuntar, porque espero hacerlo con mayor
sosiego. Ya sé que se las tachará de pura utopía.

¡Utopías! ¡Utopías! Es lo que más falta nos hace,
utopías y utopistas. Las utopías son la sal de la vida
del espíritu, y los utopistas, como los caballos de carrera, mantienen, por el cruce espiritual, pura la casta de los utilísimos pensadores de silla, de tiro o de
noria. Por ver en usted, amigo Ganivet, un utopista,
le creo uno de esos hombres verdaderamente nuevos
que tanta falta nos están haciendo en España.

A Miguel de Unamuno

I

No he olvidado, amigo y compañero Unamuno,
aquellas tardes que usted me recuerda, ni aquellas
charlas de café, ni aquellos paseos por la Castellana
cuando, con el ardor y la buena fe de estudiantes re-
cién salidos de las aulas, reformábamos nuestro país
a nuestro antojo. Recuerdo aún sus proyectos de entonces, entre los cuales el que más me interesó era el
de publicar la *Batracomaquia,* de Homero (o de
quien sea), con ilustraciones de usted mismo, que,
para salir con lucimiento de su ardua empresa, es-

tudiaba a fondo la anatomía de los ratones y de las ranas. ¿Qué fue de aquella afición? Sobre la mesa de mármol del café me pintó usted una rana con tan consumada maestría, que no la he podido olvidar: aún la veo que me mira fijamente, como si quisiera comerme con los ojos saltones.

Han pasado siete años, que para usted han sido de estudios y para mí de zarandeo y vagancia, salvo alguna que otra cosilla que he escrito para desahogarme; pero la amistad intelectual, aunque se forme en cuatro ratos de conversación, es tan duradera y firme, que en cuanto usted ha leído un libro mío y ha sabido por él que no me he muerto, ha pensado reavivarla con las tres bellísimas cartas que me envió, publicándolas en *El Defensor,* para que no se perdieran en el camino. Me encuentra usted completamente cambiado, y yo tampoco le hallo en el mismo punto en que le dejé. Por algo somos hombres y no piedras. Hay quien de la consecuencia hace una virtud, sin fijarse en que la consecuencia del que no piensa participa mucho de la estupidez. La principal virtud es que cada uno trabaje con su propio cerebro. Si trabajando así es consecuente consigo mismo, tanto mejor.

Lo que más me gusta en sus cartas es que me traen recuerdos e ideas de un buen amigo como usted, con quien me hallo casi de acuerdo, sin que ninguno de los dos hayamos pretendido estar acordes. Lo estamos por casualidad, que es cuanto se puede apetecer, y lo estamos aunque sentimos de modo muy diferente. Usted habla de «despaganizar» a España, de libertarla del «pagano moralismo senequista», y yo soy entusiasta admirador de Séneca; usted profesa antipatía a los árabes, y yo les tengo mucho afecto, sin poderlo remediar. Conste, sin embargo, que mi afecto terminará el día en que mis antiguos paisanos acepten el sistema parlamentario y se dediquen a montar en bicicleta.

Usted, amigo Unamuno, desciende en línea recta de aquellos esforzados y tenaces vascones que jamás quisieron sufrir ancas de nadie; que lucharon contra los romanos y sólo se sometieron a ellos por fórmula; que no vieron hollado su suelo por la planta de los árabes; que están todavía con el fusil al hombro para combatir las libertades modernas, que ellos toman por cosa de farándula. Así se han conservado puros, aferrados al espíritu radical de la nación. Por esto habla usted de la instauración de las costumbres celtibéricas, y cree que el mejor camino para formar un pueblo nuevo en España es el que Pérez Pujol y Costa han abierto con sus investigaciones. Yo, en cambio, he nacido en la ciudad más cruzada de España, en un pueblo que antes de ser español fue moro, romano y fenicio. Tengo sangre de lemosín, árabe, castellano y murciano, y me hago por necesidad solidario de todas las atrocidades y aun crímenes que los invasores cometieron en nuestro territorio. Si usted suprime a los romanos y a los árabes, no queda de mi quizá más que las piernas: me mata usted sin querer, amigo Unamuno.

Pero lo importante es que usted, aunque sea a regañadientes, reconozca la realidad de las influencias que han obrado sobre el espíritu originario de España, porque hay quien lleva su exclusivismo hasta a negarlas, quien cree ya extirpadas las raíces del paganismo y quien afirma que los árabes pasaron sin dejar huella; sueñan que somos una nación cristiana, cuando el cristianismo en España, como en Europa, no ha llegado todavía a moderar ni el régimen de fuerza en que vivimos, heredado de Roma, ni el espíritu caballeresco que se formó durante la Edad Media en las luchas por la religión. La influencia mayor que sufrió España, después de la predicación del cristianismo, la que dio vida a nuestro espíritu quijotesco, fue la arábiga. Convertido nuestro suelo en escenario donde diariamente se representó, siglo tras siglo, la tragedia de la Reconquista, los espectadores hubieron de habituarse a la idea de que el mundo era el campo de un torneo, abierto a cuantos quisieran probar la fuerza de su brazo. La transformación psicológica de una nación por los hechos de su historia es tan inevitable como la evolución de las ideas del hombre merced a las sensaciones que va ofreciéndole la vida. Y el principio fundamental del arte político ha de ser la fijación exacta del punto a que ha llegado el espíritu nacional. Esto es lo que se pregunta de vez en cuando al pueblo en los comicios, sin que el pueblo conteste nunca, por la razón concluyente de que no lo sabe ni es posible que lo sepa. Quien lo debe saber es quien gobierna, quien por esto mismo conviene que sea más psicólogo que orador, más hábil para ahondar en el pueblo que para atraérselo con discursos sonoros.

He aquí una reforma política grande y oportuna. ¿Quién sabe si, dedicados algún tiempo a la meditación psicológica, descubriríamos, ¡oh grata sorpresa!, que la vida exterior que hoy arrastra nuestro país no tiene nada que ver con su vida íntima, inexplorada? Yo creo a ratos que las dos grandes fuerzas de España, la que tira para atrás y la que corre hacia adelante, van dislocadas por no querer entenderse, y que de esta discordia se aprovecha el ejército neutral de los ramplones para hacer su agosto; y a ratos pienso también que nuestro país no es lo que aparece, y se me ocurre compararlo con un hombre de genio que hubiera tenido la ocurrencia de disfrazarse con careta de burro para dar a sus amigos una broma pesada.

II

La comparación de que me valí para explicar cómo entiendo yo la influencia arábiga en España, sirve asimismo para comprender el desarrollo de las ideas del hombre. Lo que usted recuerda mejor de mí, al cabo de siete años, es que yo le hablé de los gitanos. «¿Qué casta de pájaro será éste (pensaría usted), que parece interesarse más por las costumbres gitanescas que por las ciencias y artes que le habrán enseñado en la universidad?» Todo se explica, sin embargo, querido compañero, porque yo viví muchos años en la vecindad de la célebre gitanería granadina.

También le diré que el concepto de las ideas «redondas» que me sirvió de criterio para escribir el *Idearium* me lo sugirió mi primer oficio. Yo he sido molinero, y a fuerza de ver cómo las piedras andan y muelen sin salirse nunca de su centro, se me ocurrió pensar que la idea debe ser semejante a la muela del molino, que sin cambiar de sitio da harina, y con ella el pan que nos nutre, en vez de ser, como son las ideas en España, ideas «picudas», proyectiles ciegos que no se sabe a dónde van, y van siempre a hacer daño.

Mientras en España no existan hábitos intelectuales y se corra el riesgo de que las ideas más nobles se desvirtúen y conviertan en armas de sectario, hay que ser prudentes. La sinceridad no obliga a decirlo todo, sino a que lo que se dice sea lo que se piense. Por esto encuentra usted oscuros mis conceptos en materia de religión; no sería así si yo hubiera puesto en mi libro una idea que se me ocurrió y que suprimí, porque si no era picuda por completo, tampoco era redonda del todo: era algo esquinada la infeliz, y lo sigue siendo. Esta idea es la de adaptar el catolicismo a nuestro territorio para ser cristianos españoles. Pero bastaría apuntar la idea para que se pensara a seguida en iglesias disidentes, religión nacional, jansenismo y demás lugares del repertorio; y nada se adelantaría con decir que lo uno nada tiene que ver con lo otro, porque al decirlo por adelantado se daría pie para que pensaran peor aún. Sin embargo, en filosofía dije claramente que era útil romper la unidad, y en religión llegué a decir que, en cuanto en el cristianismo cabe ser original, España había creado el cristianismo más original.

Lo más permanente en un país es el espíritu del territorio. El hecho más trascendental de nuestra historia es el que se atribuye a Hércules cuando vino, y de un porrazo nos separó de África; y este hecho no está comprobado por documentos fehacientes. Todo cuanto viene de fuera a un país ha de acomodarse al espíritu del territorio si quiere ejercer una influencia real.

Este criterio no es particularista: al contrario, es universal, puesto que si existe un medio de conseguir la verdadera fraternidad humana, éste no es el de unir a los hombres debajo de organizaciones artificiosas, sino el de afirmar la personalidad de cada uno y enlazar las ideas diferentes por la concordia y las opuestas por la tolerancia. Todo lo que no sea esto es tiranía: tiranía material que rebaja al hombre a la condición de esclavo, y tiranía ideal que lo convierte en hipócrita. Mejor es que usted y yo tengamos ideas distintas, que no que yo acepte las de usted por pereza o por ignorancia; mejor es que en España haya quince o veinte núcleos intelectuales, si se quiere antagónicos, que no que la nación sea un desierto y la capital atraiga a sí las fuerzas nacionales, acaso para anularlas, y mejor es que cada país conciba el cristianismo con su espíritu propio, así como lo expresa en su propia lengua, que no se someta a una norma convencional. No debe satisfacernos la unidad exterior: debemos buscar la unidad fecunda, la que resume aspectos originales de una misma realidad.

Esto parecerá vago, pero tiene multitud de aplicaciones prácticas, de las que citaré algunas para precisar más la idea. El socialismo tiene en España adeptos que propagan estas o aquellas doctrinas de

este o aquel apóstol de la escuela. ¿No hay acaso en
España tradición socialista? ¿No es posible tener un
socialismo español? Porque pudiera ocurrir, como
ocurre, en efecto, que en las antiguas comunidades
religiosas y civiles de España estuviera ya realizado
mucho de lo que hoy se presenta como última nove-
dad. Creo, pues, más útiles y sensatos los estudios
del señor Costa, de quien usted hablaba con justo
elogio, que los discursos de muchos propagandistas
que aspiran a reformar a España sin conocerla bien.

En filosofía asistimos ahora a la rehabilitación de
la escolástica, en su principal representación: la to-
mista. El movimiento comenzó en Italia, y de allí ha
venido a España, como si España no tuviera su propia filosofía. Se dirá que nuestros grandes escritores
místicos no ofrecen un cuerpo de doctrina tan regular, según la pedagogía clásica, como el tomismo;
quizá sea éste más útil para las artes de la controversia y para ganar puestos por oposición. Pero ni
sería tan fácil formar ese cuerpo de doctrina, ni se
debe pensar en los detalles, cuando a lo que se debe
atender es a lo espiritual, íntimo, subjetivo y aun artístico de nuestra filosofía, cuyo principal mérito
está acaso en que carece de organización doctrinal.

Aun en los más altos conceptos de la religión creo
que es posible marcar el genio de cada pueblo, aun
en los dogmas. Usted me hace notar la confusión
dogmática que parece desprenderse de la primera
idea de mi libro: antes que usted me lo dijeron otros
amigos, y antes que el libro se imprimiera alguien
me aconsejó que la suprimiera; y yo estuve casi ten-
tado de hacerlo, más que por el error que en ella
pudiera verse, por no dar a algún lector una mala
impresión en las primeras líneas. Y, sin embargo, no
la suprimí. «¿Por testarudez?», se pensará. No fue
sino porque veía en esa idea una idea muy española.
El dogma de la Inmaculada Concepción se refiere,
es cierto, al pecado original, pero al borrar este últi-

mo pecado da a entender la suma pureza y santidad. El dogma literal se presta además a esa amplia interpretación, porque las palabras «concebida sin mancha» dicen al alma del pueblo dos cosas: que la Virgen *fue concebida* sin mancha, y que es *concebida* sin mancha eternamente por el espíritu humano. Hay el hecho de la concepción real, y el fenómeno de la concepción ideal por el hombre de una mujer que, no obstante haber vivido vida humana, se vio libre de la mancha que la materia imprime a los hombres. Preguntemos uno a uno a todos los españoles, y veremos que la Purísima es siempre la Virgen ideal, cuyo símbolo en el arte son las *Concepciones* de Murillo. El pueblo español ve en ese misterio no sólo el de la concepción y el de la virginidad, sino el misterio de toda una vida. Hay un dogma escrito inmutable, y otro vivo, creado por el genio popular.

También los pueblos tienen sus dogmas, expresiones seculares de su espíritu.

III

Desea usted que el cristianismo impere por la paz; y como usted no es un filántropo rutinario de los que tanto abundan, sino un verdadero pensador, habla a seguida de despaganizar a Europa, porque sabe que la guerra tiene su raíz en el paganismo. Sus ideas de usted son comparables a las que Tolstoi expuso en su manifiesto titulado *Le non agir,* aunque Tolstoi, no contento con combatir la guerra, combate el progreso industrial y hasta el trabajo que no sea indispensable para las necesidades perentorias del vivir. Para que la organización social cambie, han de cambiar antes las ideas, ha de operarse la *metanoia* evangélica, y para esto es preciso trabajar poco y meditar bastante y amar mucho. La lucha por el progreso y por la riqueza es tan peligrosa como la lucha por el territorio. Vea usted, si no, amigo Unamuno, el desencanto que se están llevando los que creían que el porvenir estaba en América. En unas cuantas semanas se ha despertado el atavismo europeo; la riqueza acumulada por los negociantes se transforma en armas de guerra, y aparece ésta en condiciones que, en Europa misma, serían impracticables. Porque en Europa no se usan ya guerras repentinas, ni se suele acudir a las armas antes de agotar todos los medios pacíficos, ni practicar ciertos procedimientos que hoy se emplean en nuestro daño. América tendrá ejércitos como Europa, y disfrutará de los goces inefables de las guerras territoriales y de raza; en vez de hacer algo nuevo, copiará a Europa y la copiará mal; y los hombres insignificantes que han derrochado estúpidamente las buenas tradiciones de su nación serán glorificados por la plebe.

La raza indoeuropea ha ejercido siempre su hegemonía en el mundo por medio de la fuerza. Desde los ejércitos descritos por Homero hasta los descritos hoy por la prensa periódica, son tantas la metamorfosis que ha sufrido el soldado ario, que se pierde ya la cuenta. Unas veces han atacado en forma de cuña y otras en forma rectangular, y nosotros hemos descubierto últimamente el sistema de pelear boca arriba, como los gatos. Los europeos dicen que dominan por sus ideas; pero esto es falso. La idea en que se ampara la fuerza de Europa es el cristianismo, una idea de paz y de amor, que por esto no pudo nacer entre nosotros. Nació en el pueblo judaico, que fue siempre enemigo de combatir y se pasó la vida huyendo de sus enemigos o subyugado por ellos; porque en los momentos de peligro, en vez de aparecer en el seno de este pueblo grandes generales, *organizadores de la victoria,* aparecían profetas que se ponían de parte del enemigo, considerándolo como a un enviado de Dios. El precepto evangélico de no resistir al mal es constitutivo del espíritu judaico.

Por esto los europeos no lo han comprendido aún, ni menos practicado. Somos paganos de origen, y de vez en cuando la sangre nos turba el corazón y se nos sube a la cabeza. Vea usted, si no, por vía de ejemplo, lo que ocurre en el arte. El cristianismo creó su arte propio, cuyo dogma se puede decir que era el resplandor del espíritu, así como el del paganismo era el resplandor de la forma. Yo he visto en los Países Bajos centenares de obras inspiradas por el cristianismo puro, y he visto cómo aquellos artistas, que tan torpemente creaban obras tan sublimes, se encaminaron a Italia cuando en Italia apareció el Renacimiento: me hacen pensar en tristes ayunantes que, después de comer espinacas durante el período cuaresmal, se relamen de gusto viendo un buen tasajo de carne o un pavo relleno. Puesto entre las dos artes, prefiero el cristianismo porque es más espiritual; pero me seduce también el arte pagano, y me seducen aún más las obras de aquellos artistas españoles que acertaron como ningunos a infundir el espíritu cristiano en la forma clásica. Esto parecerá eclecticismo; pero el eclecticismo está en nuestra constitución y en nuestra historia. En España se ha batallado siglos enteros para fundir en una concepción nacional las ideas que han ido imperando en nuestro suelo, y a poco que se ahonde se descubre aún la hilaza. En Granada, por ejemplo, no hay artísticamente puro nada más que lo arábigo, y aun debajo de esto suele hallarse la traza del arte romano. Lo que viene después tiene siempre dos caras, una cristiana y otra clásica, como en las esculturas de nuestro insuperable Alonso Cano, o una cristiana y otra oriental, como en el poema admirable de Zorrilla. La primera habla al espíritu; la segunda, a los sentidos, que también son algo para el hombre. La esencia es siempre mística, porque lo místico es lo permanente en España; pero el ropaje es vario, por ser varia y multiforme nuestra cultura. Todo lo más a que puede aspirarse es a que el sentimiento cristiano sea cada día más el alma de nuestras obras.

Así como hay hombres que viven una vida casi material y hombres que colocan el centro de su vida en el espíritu, dando al cuerpo sólo lo indispensable, así hay naciones que continúan aún aferradas a la lucha brutal, y naciones que espiritualizan la lucha y se esfuerzan por conseguir el triunfo ideal. Pero no hay cerebro ni corazón que se sostengan en el aire; ni hay idealismo que subsista sin apoyarse en el esqueleto de la realidad, que es, en último término, la fuerza. El hombre está organizado autoritariamente (aun cuando el centro no funcione), y todas sus creaciones son hechas a su imagen y semejanza: desde la familia hasta la agrupación innominada, que forma el concierto de las naciones, Europa ha representado siempre el centro unificador y director de la humanidad, y esto ha podido lograrlo solamente ejerciendo violencia en los demás pueblos. Hay quien sueña, como usted, en el aniquilamiento de ese eterno régimen, y en que un día impere en el mundo, por su pura virtualidad, el ideal cristiano. ¿Por qué no soñar y entusiasmarse soñando en tan admirable anarquía?

IV

Quien haya leído sus artículos y lea ahora los míos creerá seguramente que somos dos ideólogos sin pizca de sentido práctico, cuando con tanta frescura nos ponemos a hablar de los caracteres constitutivos de nuestra nación, sin parar mientes en los desastres que llueven sobre ella. Tanto valdría, se pensará, ponerse a meditar sobre las mareas en el momento crítico de un naufragio, cuando sólo queda tiempo para encomendarse a Dios antes de irse al fondo. No obstante, la tempestad pasa y las mareas siguen; y quién sabe si una misma razón no explicaría ambos fenómenos. Las ideologías explican los hechos vulgares, y si en España no se hace caso de los ideólogos es porque éstos han dado en la manía de empolvarse y engomarse, de «academizarse», en una palabra, y no se atreven a hablar claro por no desentonar, ni a hablar de los asuntos del día por no caer en lugares comunes. Sin duda ignoran que Platón cortó el hilo de uno de sus más hermosos diálogos para explicar cómo se quita el hipo, y que Homero no desdeñó cantar en versos de arte mayor cómo se asa un buey. Se puede ser correcto y hasta clásico explicando cómo se pierden las colonias.

Nosotros descubrimos y conquistamos por casualidad, con carabelas inventadas por los portugueses, llevando por hélice la fe y por caldera de vapor el viento que soplaba. Y al cabo de cuatro siglos nos hallamos con que en nuestros barcos no hay fe ni velas donde empuje el viento, sino maquinarias que casi siempre están inservibles. La invención del vapor fue un golpe mortal para nuestro poder. Hasta hace poco ni sabíamos construir un buque de guerra, y hasta hace poquísimo nuestros maquinistas eran extranjeros. Al fin hemos vencido estas dificultades; pero tropezamos con otra: los buques necesitan combustible, y nosotros somos incapaces de concebir una estación de carbón. No tenemos alma, aunque se dice que somos desalmados, para incomodar a nadie metiéndole en su casa una carbonera, como hacen los ingleses, por ejemplo, en Gibraltar. Cuando perdamos nuestros dominios se nos podrá decir: aquí vinieron ustedes a evangelizar y a cometer desafueros; pero no se nos dirá: aquí venían ustedes a tomar carbón. Demos por vencida también la falta de estaciones propias para nuestros buques, y aún faltará algo importantísimo: dinero para costear las escuadras, el cual ha de ganarse explotando esas colonias que se trata de defender. Porque sería más que tonto comprar una escuadra formidable en el extranjero para enviarla a Filipinas, o asegurar el negocio que allí hacen los mismos extranjeros. Más lógico es dejarse derrotar «heroicamente». Acaso la batalla más discretamente perdida, entre todas las de nuestra historia, sea esa batalla de Cavite, que usted, compañero Unamuno, comparaba en tono humorístico con la de Villalar.

No basta adaptar un órgano: hay que adaptar todo el organismo. En España sólo hay dos soluciones racionales para el porvenir: someternos en absoluto a las exigencias de la vida europea, o retirarnos en absoluto también y trabajar para que se forme en nuestro suelo una concepción original, capaz de sostener la lucha contra las ideas corrientes, ya que nuestras actuales ideas sirven sólo para hundirnos, a pesar de nuestra inútil resistencia. Yo rechazo todo lo que sea sumisión y tengo fe en la virtud creadora de nuestra tierra. Mas para crear es necesario que la nación, como el hombre, se recojan y mediten, y España ha de reconcentrar todas sus fuerzas y abandonar el campo de la lucha estéril, en el que hoy combate por un imposible, con armas compradas al enemigo. Nos ocurre como al aristócrata arruinado que trata de restaurar su casa solariega hipotecándola a un usurero.

Nuestra colonización ha sido casi novelesca. La mayoría de la nación ha ignorado siempre la situación geográfica de sus dominios; le ha ocurrido como a Sancho Panza, que nunca supo dónde estaba la ínsula Barataria, ni por dónde se iba a ella, ni por dónde se venía, lo cual no le impidió dictar preceptos notables que, si los hubiera cumplido, hubieran dejado tamañitas a nuestras famosas leyes de

Indias, a las que tampoco se dio el debido cumplimiento, por lo mismo que eran demasiado buenas. Pero nadie nos quita el gusto de haberlas dado, para demostrar al mundo que si no supimos gobernar, no fue por falta de leyes, sino porque nuestros gobernantes fueron torpes y desagradecidos.

Detrás de la antigua aristocracia vino la del progreso. El pueblo que antes pertenecía a un gran señor y era administrado por un mayordomo de manga ancha, cayó en las garras de un usurero; y el pueblo inocente, que creía llegada una era de prosperidades, trabaja más y gana más y come lo mismo o menos; y si algún infeliz se atreve a coger un brazado de leña en monte, que antes estaba abierto para todos, no tarda en ser cogido por un guarda y enviado unos cuantos años a presidio. Éste es el porvenir que le aguarda a nuestra población colonial, que cree cándidamente que han de venir gentes más activas a enriquecerla. Pero nada se gana con predicar a estas alturas. La humanidad, ella sabrá por qué, se ha dedicado a los negocios, y ahí está la causa de nuestra decadencia. Nosotros no tenemos capital para emprenderlos ni gran habilidad tampoco, y si emprendemos alguno nos olvidamos, por falta de espíritu previsor, de apoyarlo bien para que no fracase. Hay en Europa naciones que sostienen artificialmente con los productos que exportan varios millones de habitantes, que el suelo no podría nutrir; en España no llegan quizá a un millón los que viven de la exportación a Ultramar, y ésos están hoy amenazados, y tal vez se vean pronto obligados a buscar el pan de la emigración. Hemos podido ingeniarnos para conseguir la independencia económica, impuesta por nuestro carácter territorial, y dejándonos de libros de caballerías, atenernos a nuestro suelo, cuyas fuerzas naturales bastan para sostener una población mayor que la actual.

Así se hubiera evitado la guerra, porque esta gue-

rra que se dice sostenida por honor es también, y
acaso más, lucha por la existencia. La pérdida de las
colonias sería para España un descenso en su rango
como nación; casi todos sus organismos oficiales se
verían disminuidos, y, lo que es más sensible, la población disminuiría también a causa de la crisis de
algunas provincias. Se puede afirmar que todos los
intereses tradicionales y actuales de España salen he-
ridos de la refriega; los únicos intereses que salen in-
cólumes son los de la España del porvenir, a los
que, al contrario, conviene que la caída no se pro-
longue más; que no sigamos eternamente en el aire,
con la cabeza para abajo, sino que toquemos tierra
alguna vez.

Este gran problema que nos ha planteado la fatalidad ha sido embrollado adrede por falta de valor
para presentarlo ante España en sus términos brutales, escuetos, que serían: ¿quiere ser una nación modesta y ordenada y ver emigrar a muchos de sus hijos por falta de trabajo, o ser una nación pretencio-
sa o flatulenta y ver morir a muchos de sus hijos en
el campo de batalla y en el hospital? ¿Qué cree usted, amigo Unamuno, que hubiera contestado España?

V

Usted, amigo Unamuno, que es cristiano sincero,
resolverá la cuestión radicalmente convirtiendo a
España en una nación cristiana, no en la forma,
sino en la esencia, como no lo ha sido ninguna nación en el mundo. Por eso acudía usted al admirable
simbolismo del *Quijote,* y expresaba la creencia de
que el ingenioso hidalgo recobrará muy en breve la
razón y se morirá, arrepentido de sus locuras. Ésta
es también mi idea, aunque yo no doy la curación
por tan inmediata. España es una nación absurda y
metafísicamente imposible, y el absurdo es su nervio

y su principal sostén. Su cordura será la señal de su acabamiento. Pero donde usted ve a don Quijote volver vencido por el caballero de la Blanca Luna, yo lo veo volver apaleado por los desalmados yangüeses, con quienes topó por su mala ventura.

Quiero decir con esto que don Quijote hizo tres salidas, y que España no ha hecho más que una y aún le faltan dos para sanar y morir. El idealismo de don Quijote era tan exaltado, que la primera vez que salió en busca de aventuras se olvidó de llevar dinero y hasta ropa blanca para mudarse; los consejos del ventero influyeron en su ánimo, bien que vinieran de tan indocto personaje, y le hicieron volver pies atrás. Creyóse que el buen hidalgo, molido y escarmentado, no tornaría a las andadas, y por sí o por no, su familia y amigos acudieron a diversos expedientes para apartarle de sus desvaríos, incluso el de murar y tapiar el aposento donde estaban los libros condenados; mas don Quijote, muy solapadamente, tomaba mientras tanto a Sancho Panza de escudero, y vendiendo una cosa y empeñando otra, y malbaratándolas todas, reunía una cantidad razonable para hacer su segunda salida más sobre seguro que la primera.

Éste es el cuento de España. Vuelve ahora de su primera escapatoria para preparar la segunda; y aunque muchos españoles creamos de buena fe que se lo hemos de quitar de la cabeza, no adelantaremos nada. Y acaso sería más prudente ayudar a los preparativos de viaje, ya que no hay medio de evitarlo. Yo decía también que convendría cerrar todas las puertas para que España no escape, y, sin embargo, contra mi deseo, dejo una entornada, la de África, pensando en el porvenir. Hemos de trabajar, sí, para tener un período histórico español puro; mas la fuerza ideal y material que durante él adquiramos verá usted cómo se va por esa puerta del Sur, que aún seduce y atrae al espíritu nacional. No

pienso al hablar así en Marruecos; pienso en toda
África, y no en conquistas ni en protectorados, que
esto es de sobra conocido y viejo, sino en algo original, que no está al alcance ciertamente de nuestros
actuales políticos. Y en esta nueva serie de aventuras tendremos un escudero, y ese escudero será el
árabe.

Se me dirá que el África está ya repartida como
pan bendito; pero también estuvo repartido el mundo, o poco menos, entre España y Portugal, y ya ve
usted a dónde hemos llegado. En nuestros días hemos visto aparecer varias doctrinas flamantes, como
la de Monroe y la de la protección de interés, la de
la ocupación efectiva y la de arrendamiento. Europa
se arrienda a China en diversos lotes y se reparte el
África, porque no estaba ocupado efectivamente.
Y a esto no hay nada que objetar; si la propiedad
privada se pierde por el abandono de la misma, ¿por
qué no ha de perder una nación sus derechos sobe-
ranos sobre territorios que nominalmente se atribuye? Lo único que se puede decir es que ahora tampoco es efectiva la ocupación, y que lo que se llama
esfera de influencia o *hinterland* es, con nombre diverso, la misma soberanía nominal, hoy desusada.
No sé si usted es amante del Derecho, amigo Unamuno, y si se disgustará porque le diga que el Derecho es una mujerzuela flaca y tornadiza que se deja
seducir por quienquiera que sepa sonar bien las es-
puelas y arrastrar el sable. Si España tuviera fuerzas
para trabajar en África, yo, que soy un quídam, me
comprometería a inventar media docena de teorías
nuevas para que nos quedáramos legalmente con
cuanto se nos antojara.

Ahora y antes el único factor efectivo que en
África existe, aparte de los indígenas, es el árabe,
porque es el que vive de asiento, el que tiene aptitud
para aclimatarse y para entenderse con la raza negra
de un modo más natural que el que emplean los mi-

sioneros, que introducen, según la frase de usted, el *fetichismo seudocristiano*. El árabe, habilitado y gobernado por un espíritu superior, sería un auxiliar eficaz, el único para levantar a las razas africanas sin violentar su idiosincrasia. Los árabes dispersos por el África están oscurecidos y anulados en la apariencia por los europeos, porque éstos no saben entenderse con ellos; nosotros sí sabríamos. Actualmente la empresa es disparatada, pues sin contar nuestra falta de *dineros* y *camisas,* el antagonismo religioso lo echaría todo a perder. Pero ¿quién sabe lo que dirá el porvenir? ¡Utopía! ¿No le agradan a usted las utopías? «Sí, me agradan —me contestará usted—; pero ésa pasa de la marca; yo hablo en pro de la paz, y usted nos arma para nuevas guerras.» Si usted dice que hay que despaganizar a Europa y destruir en ella los gérmenes de agresión, yo estoy con usted, porque el deseo es generoso y noble. Pero mientras la forma de la vida europea sea la agresión, y se proclame moribundas a las naciones que no atacan y aun se piense en descuartizarlas y repartírselas, la paz en una sola nación sería más peligrosa que la guerra. La nación más cristiana, por temperamento, ha sido la judaica, y tiene que vivir, como quien dice, con los trastos a cuestas. Así, pues, España, encerrada en su territorio, aplicada a la restauración de sus fuerzas decaídas, tiene por necesidad que soñar en nuevas aventuras; de lo contrario, el amor a la vida evangélica nos llevará en breve a tener que alzarnos en armas para defender nuestros hogares contra la invasión extranjera. El espíritu territorial independiente movió a las regiones españolas a buscar auxilio fuera de España, y ese mismo espíritu, indestructible, obligará a la nación unida a buscar un apoyo en su continente africano para mantener ante Europa nuestra personalidad y nuestra independencia.

SEGUNDA PARTE

A Ángel Ganivet

I

¡Cómo refresca el corazón, querido amigo, conversar a larga distancia, separados por la suerte que a los hombres desparrama, después de haberse saludado un momento en el pedregoso camino de la vida! Y el ser pública esta conversación —más que en diálogo, en monólogos entreverados— le da cierta consagración de gravedad, haciéndola, a la vez que más jugosa, más íntima también. Más íntima, sí; porque no cabe duda alguna de que estos artículos, en que nos dirigimos reflexiones que puedan sugerir algo a todos los que, mirando más allá del falaz presente, nos hagan la merced de leernos, son para nosotros una correspondencia más entrañable y más cordial que la que por cartas privadas sostenemos. Obligados por el respeto debido al público que nos lea a mantenernos en cierta elevación de tono, prescindimos de nosotros mismos, siendo así como cada cual logra dar lo más granado y lo mejor de sí mismo, lo que a nuestro pueblo debemos y se lo tornamos acrecentado en cuanto nuestra diligencia alcanza.

Usted ha rodado por tierras extrañas, puestos

siempre su corazón y su vista en España, y yo, viviendo en ella, me oriento constantemente al extranjero, y de sus obras nutro sobre todo mi espíritu. Son dos modos de servir a la patria diversos y concurrentes. Y en punto a patriotismo, ¡qué tristes nociones ha esparcido la ignorancia por España! Hase olvidado que la verdadera patria del espíritu es la verdad; que sólo en ella descansa y trabaja con sosiego.

Y dejándome de escarceos, que huelen a la «Epístola moral a Fabio», me voy derecho a lo que usted dice de la raza española.

Siempre he creído que la Historia, que da razón de los cuatro que gritan y nada dice de los cuarenta mil que callan, ha hecho el papel de enorme lente de aumento en lo que se refiere al cruce de raza en el suelo español. Las crónicas nos hablan de la invasión de los iberos, de los celtas, de los fenicios, de los romanos, de los godos, de los árabes, etc., y esto nos hace creer que se ha formado aquí una mescolanza de pueblos diversos, cuando estoy persuadido de que todos esos elementos advenedizos representan junto al fondo primitivo, prehistórico, una proporción mucho menor de lo que nos figuramos, débiles capas de aluvión sobre densa roca viva. Un batallón de jinetes que entra metiendo mucho ruido en un pueblo pacífico, que en su mayor parte le ve entrar con indiferencia, da que decir a las gacetillas, y el más leve motín de un lugar abulta en los telegramas, donde no se da cuenta de los que van, como todos los años, a trillar sus parvas. Desde la orilla se ve durante una tempestad cómo se alzan tumultuosas y potentes las olas, y no se da cuenta de que todo aquel tumulto no pasa de la superficie, de que las aguas que se embravecen y braman son una débil película comparadas a las profundas capas que permanecen en reposo. Brama la tempestad sobre la solemne calma de los abismos submarinos. El día mismo del desastre de la escuadra de Cervera hallábame yo, acordonado desde hacía días para no recibir diarios, en una dehesa en cuyas eras trillaban en paz su centeno los labriegos, ignorantes de cuanto a la guerra se refiere. Y estoy seguro de que eran en toda España muchísimos más los que trabajaban en silencio, preocupados tan sólo del pan de cada día, que los inquietos por los públicos sucesos.

Es la Historia como un mapa, y no mejor que un mapa los lugares del espacio, determina aquélla los sucesos del tiempo. La leyenda, aunque al parecer menos exacta, es más verdadera, como es más verdadero un paisaje, por libre que sea, que un plano topográfico tomado a toda ciencia trigonométrica. Danos el mapa los contornos de los continentes e islas en cuanto el nivel ordinario del mar los define; pero si ese nivel fuese bajando, ¡qué grandes cambios en nuestra geografía! Así en la Historia, si fuese posible hacer bajar el nivel del olvido, que encubre para siempre la vida fecunda y silenciosa de las muchedumbres que pasan por el mundo sin meter ruido, ¡cómo iría cambiando el mapa de los sucesos con que han alimentado nuestra memoria!

Hay en los abismos del océano inmensas vegetaciones de minúsculas madréporas, que labran en silencio la red enorme de sus viviendas. Sobre estas vegetaciones se asientan islas que surgen del mar. Así en la vida de los pueblos aparecen aislados en la Historia grandes sucesos, que se asientan sobre la labor silenciosa de las oscuras madréporas sociales, sobre la vida de esos pobres labriegos que todos los días salen con el sol a la secular labranza. Lo que ocurre en la isla afecta muy poco a su basamento madrepórico.

Muy poco, creo, han afectado a la base de la vida popular española las diversas irrupciones que la Historia nos cuenta ocurridas en su superficie. ¿Cuántos eran los fenicios que llegaron, con relación a los que aquí vivían? ¿Cuántos los romanos, los godos, los árabes, y hasta qué punto penetraron en lo íntimo de la raza? Yo creo que pasaron poco de la superficie, muy poco, y que en cuanto pasaron algo, fueron absorbidos; como creo que dejará más rastro Pidal, que tiene cosa de una docena de hijos, que otros políticos de más nombre y menos fecundidad efectiva. Hay que fijarse en lo más íntimo. Parmentier hizo más obra y más duradera trayéndonos las patatas, que Napoleón revolviendo a Europa, y hasta más espiritual, porque ¿qué no influirá la alimentación patatesca en el espíritu?

Todo esto sirve para indicar nada más mi idea de que el fondo de la población española ha permanecido mucho más puro de lo que se cree, engañándose por la falaz perspectiva histórica, creencia que parecen confirmar las investigaciones antropológicas.

Celtas, fenicios, romanos, godos, los mismos árabes, de que parece usted tan prendado, fueron poco más que oleadas, tempestuosas si se quiere, pero oleadas al fin, que influyeron muy poco en la base subhistórica, en el pueblo que calla, ora, trabaja y muere. Luego por ley, larga de explicar aquí, sucede que al mezclarse pueblos diversos en proporciones distintas, el más numeroso prepondera en lo fisiológico y radical más que lo que su proporción representa.

Creo asimismo que las diferencias étnicas interiores que en España se observan —gallegos, vascos, catalanes, castellanos, etc.— arrancan de diversidades prehistóricas.

Nosotros los vascos tenemos fama, como usted me lo recuerda, de conservarnos más puros. No sé si esto es verdad; sólo sé que para que esa idea se haya difundido ha servido el que hayamos tenido la felicidad de ser un pueblo sin historia durante siglos enteros. La Historia no ha velado, con su falsa perspectiva, un hecho que creo se cumple en los demás

pueblos peninsulares. Y por no haber tenido historia
y sí vida pública subhistórica, mi pueblo vasco ha
combatido a las libertades individuales, atomísticas,
luchando por las sociales. Mas como esto es muy
largo de contar, mejor es dejarlo.

II

No podrá haber sana vida pública, amigo Ganivet, mientras no se ponga de acuerdo lo íntimo de
nuestro pueblo con su exteriorización, mientras no
se acomode la adaptación a la herencia. Ésta, que es
la idea capital de usted, es también la mía. Concor-
damos en ella disintiendo algo en su desarrollo, lo
cual da carácter armónico a nuestra conversación,
haciéndola en su unidad varia.

La historia, la condenada historia, que es en su
mayor parte una imposición del ambiente, nos ha
celado la roca viva de la constitución patria; la historia, a la vez que nos ha revelado gran parte de
nuestro espíritu en nuestros actos, nos ha impedido
ver lo más íntimo de ese espíritu. Hemos atendido
más a los *sucesos* históricos que pasan y se pierden,
que a los *hechos* subhistóricos, que permanecen y
van estratificándose en profundas capas. Se ha hecho más caso del relato de tal cual hazañosa empresa de nuestro siglo de caballerías que a la constitución rural de los repartimientos de pastos en tal o
cual olvidado pueblecillo. Nos han llenado la cabeza
de batallas, expediciones, conquistas, revoluciones y
otros líos semejantes, sin dejarnos ver lo que bajo la
superficie pasaba entretanto; nos han puesto en la
orilla a contemplar tempestades para que templemos
nuestro espíritu en los grandes espectáculos y no nos
han dejado ver la labor de las madréporas de que le
hablaba en mi anterior capítulo. Hemos oído en
lontananza el eco de los cascos de los caballos de los

árabes al invadir España, y no el silencioso paso de los bueyes que a la vez trillaban las parvas de los *conquistados,* de los que se dejaron conquistar.

Se ha perdido la inteligencia del lenguaje propio del pueblo, lenguaje silencioso y elocuente, y se ha querido que hable en los comicios, donde, como usted dice muy bien, no sabe responder. Pedirle al pueblo que resuelva por el voto la orientación política que le conviene, es pretender que sepa fisiología de la digestión todo el que digiere. Como no se sabe preguntarle, no responde, y como no *habla* en votos, lenguaje que le es extraño, cuando quiere algo *habla* en armas, que es lo que hicieron mis paisanos en la última guerra civil. Ellos querían algo sin saber definirlo, y a falta de mejor medio de expresarlo, se fueron al monte, dejando que formulasen su deseo algunos señores, que maldito si lo sabían. Porque el carlismo de Mella y de *El Correo Español,* pongo por caso, es al carlismo real y efectivo mucho menos que un mapa al terreno real, siguiendo la metáfora que establecí ya una vez. El carlismo popular, que creo haber estudiado algo, es *inefable,* quiero decir, inexpresable en discursos y programas; no es materia oratoriable. Y el carlismo popular, con su fondo socialista y federal y hasta anárquico, es una de las íntimas expresiones del pueblo español. Algo más adelantaríamos si nuestros estadistas, o lo que sean, en vez de atender a las idas y venidas de don Carlos, y hacer caso de los periódicos del partido o de las predicaciones de este o de aquel Mella que toma al carlismo de materia oratoriable y de *sport* político, se fijasen en las necesidades de los pueblos, en las íntimas, en las que no se expresan. Cuando se habla de mi Vizcaya, en seguida se acuerdan todos de los dichosos fueros, ignorándose que mucho más que los tales fueros le importa al aldeano vizcaíno el cierre de los montes que fueran del común un día.

Los dos factores radicales de la vida de un pueblo, los dos polos del eje sobre que gira, son la economía y la religión. Lo económico y lo religioso es lo que en el fondo de todo fenómeno social se encuentra. El régimen económico de la propiedad, sobre todo de la rural, y el sentimiento que acerca del fin último de la vida se abriga, son las dos piedras angulares de la constitución íntima de un pueblo. Toda nuestra historia no significa nada como no nos ayude a comprender mejor cómo vive y cómo muere hoy el labriego español; cómo ocupa la tierra que labra y cómo paga su arrendamiento, y con qué estado de ánimo recibe los últimos sacramentos; qué es y qué significa una *senara* o una *excusa,* y qué es y qué significa una misa de difuntos.

En el país español que mejor conozco, por ser el mío, en Vizcaya, el establecimiento de la industria siderúrgica por altos hornos y el desarrollo que ha traído consigo representa más que el más hondo suceso histórico *explosivo;* es decir, de golpe y ruido, como creo que en esa Granada el establecimiento de la industria de la remolacha ha tenido más alcance e importancia que su conquista por los Reyes Católicos.

Y como esto exige algún mayor desarrollo, aunque sea sumario y por vía sugestiva, como todo lo contenido en estos capítulos, lo dejo para otro.

III

«Para que la organización social cambie, han de cambiar antes las ideas», dice usted, amigo Ganivet, y ya no conformo con usted en este su *idealismo.* No creo en esa fuerza de las ideas, que antes me parecen resultantes que causas. Siempre he creído que el suponer que una idea sea causa de una transformación social es como suponer que las indicaciones del barómetro modifican la presión atmosférica. Cuando oigo hablar de ideas buenas o malas me parece oír hablar de sonidos verdes o de olores cuadrados. Por esto me repugna todo dogmatismo y me parece ridícula toda inquisición.

Lo que cambia las ideas, que no son más que la flor de los estados del espíritu, es la organización social, y ésta cambia por virtud propia, obedeciendo a leyes económicas que la rigen, por un dinamismo riguroso.

No fue Copérnico quien echó a rodar los mundos, según las leyes por él descubiertas, ni fueron Marx y sus precursores y sucesores los que produjeron el movimiento socialista. Esto lo sabe usted mejor que yo, sin que se le haya turbado la clara visión de tal verdad por cierto excesivo historicismo que en usted observo.

En diferentes obras, algunas magistrales como las de Marx y Loria, está descrita la evolución social en virtud del dinamismo económico, y si alguna falta les noto, es que, o prescindan del factor religioso, o quieran englobarlo también en el económico.

No el cambio de ideas, el de organización social, sino éste traerá a aquél. Las fábricas de altos hornos en mi país, y las de remolacha en el de usted, harán mucho más que lo que pudiese hacer un ejército de ideólogos como usted y yo.

La misma cuestión colonial, hoy tan candente que nos abrasa, es ante todo y sobre todo una cuestión de base y origen económicos. Hay que estudiarla no en nuestra historia colonial, que sólo cuenta lo peculiar; no en los épicos relatos de nuestros navegantes de la edad de oro, no en toda esa faramalla de nuestros destinos en el Nuevo Mundo, sino en las aduanas coloniales. No creo con usted que fuimos a evangelizar y cometer desafueros, sino a sacar oro; fuimos a sacar oro, que pasaba luego a Flandes, donde trabajaban para nosotros y a nuestra costa se enriquecían con su trabajo. Y como nuestro modo de explotar a las colonias no encaja en la actual economía pública, las explotarán otros.

Es preciso hablar claro por verdadero patriotismo, ahora que piden la paz con motivos impuros y egoístas muchos que por motivos egoístas e impuros pidieron la guerra. Raro es quien execra de la guerra por la guerra misma, por cristianismo, y si no, vea usted cómo fueron de los más encendidos apóstoles del duelo internacional los que más predican contra el individual y contra el falso honor mundano.

Hay que hablar claro. Al campesino que sin más capital que sus brazos emigra de España en busca de pan, lo mismo le da que sea española o no la tierra a que arriba, lo mismo se gana su vida y acaso labra su fortuna en los cafetales del Brasil que en las pampas argentinas o cuidando ganado en las sabanas de Tejas, en los Estados Unidos, como alguno que conozco. Pero a la industria nacional que quiere vivir sin gran esfuerzo del monopolio no le da lo mismo. Traía trigo de los Estados Unidos, de esos mismos Estados Unidos con que estamos en guerra, lo molía aquí, en la Península, y llevaba la harina a Cuba, haciendo pagar cara a los cubanos la maquila de la molienda. Se encarecería la vida en Cuba en provecho de los industriales y negociantes de aquí. Y luego venía lo de hacer pasar harina por yeso y todo lo demás de la canción. Añada usted lo del azúcar y tendrá bien claro el principal factor de lo que por de pronto nos abruma.

Y todo esto no lo han traído ideas especiales de los españoles acerca de la colonización, sino nuestra constitución económica, basada en última instancia en la constitución de nuestro suelo, *ultima ratio* de nuestro modo de ser. Es la misma idea de usted respecto a lo territorial.

Hay en España algo que permanece inmutable

bajo las varias vicisitudes de su historia, algo que es la base de su subhistoria.

Este algo es que España está formada en su mayor parte por una vasta meseta, en que van los ríos encajonados y muy deprisa, y cuya superficie resquebrajan las heladas persistentes del invierno y los tremendos ardores del estío. Es un país, en su mayor extensión, de suelo pobre, carcomido por los ríos que se llevan la sustancia, escoriado por sequías y por lluvias torrenciales. Y este país quiere seguir siendo lo que peor puede ser, país agrícola. La cuestión es ésta: o España es, ante todo, un país central o periférico, o sigue la orientación castellana, desquiciada desde el descubrimiento de América, debido a Castilla, o toma otra orientación. Castilla fue quien nos dio las colonias y obligó a orientarse a ellas a la industria nacional; perdidas las colonias, podrá nuestra periferia orientarse a Europa, y si se rompen barreras proteccionistas, esas barreras que mantiene tanto el espíritu *triguero,* Barcelona podrá volver a reinar en el Mediterráneo, Bilbao florecerá orientándose al Norte, y así irán creciendo otros núcleos nacionales ayudando al desarrollo total de España.

No me cabe duda de que una vez que se derrumbe nuestro imperio colonial surgirá con ímpetu el problema de la descentralización, que alienta en los movimientos regionalistas. Y el hacer cuatro indicaciones acerca de esto lo dejo para otro capítulo.

IV

«Mejor es que usted y yo tengamos ideas distintas, que no que yo acepte las de usted por pereza o por ignorancia; mejor es que en España haya quince o veinte núcleos intelectuales, si se quiere antogónicos, que no que la nación sea un desierto y la capital atraiga a sí las fuerzas nacionales, acaso para anularlas.» Esto dice usted, amigo Ganivet, con excelente buen sentido, en el segundo de los artículos que me dedica. De esas ideas me hago solidario, y sobre ellas voy a insertar aquí cuatro reflexiones.

Nada dificulta más la verdadera unión de los pueblos que el pretender hacerla desde fuera, por vía impositiva, o sea legislativa, y obedeciendo concepciones jacobinas, como suelen serlo las del unitarismo doctrinario. Esa unión destruye la armonía, que surge de la integración de lo diferenciado.

Quéjanse los catalanes de estar sometidos a Castilla, y quéjanse los castellanos de que se les somete al género catalán. La sujeción de una de estas regiones a la otra en lo político se ha equilibrado con la sujeción de ésta o aquélla en lo económico. Y de tal suerte padecen las dos. El caso cabe extenderlo y ampliarlo.

En vez de dejar que cada cual cante a su manera y procurar que cantando juntos acaben por formar concertado coro armónico, hay empeño en sujetarlos a todos a la misma tonada, dando así un pobrísimo canto al unísono, en que el coro no hace más que meter más ruido que cada cantante, sin enriquecer sus cantos.

No cabe integración sino sobre elementos diferenciados, y todo lo que sea favorecer la diferenciación es preparar el camino a un concierto rico y fecundo. Sea cada cual como es, desarróllese a su modo, según su especial constitución, en su línea propia, y así nos entenderemos mejor todos.

Hace ya algún tiempo publiqué en un diario catalán un artículo acerca del uso de la lengua catalana[1], abogando porque escriba cada cual en la len-

---

[1]   En el *Diario Moderno*, Barcelona, abril o mayo 1896, con el título «Sobre el uso de la lengua catalana», y dedicado a *Clarín*. (N. del E.)

gua en que piensa. En él asentaba que es mejor que los catalanes escriban en catalán y los castellanos los traduzcan, que no el que se traduzcan ellos mismos, mutilando su modo de ser. Al esforzarse el castellano por penetrar en los matices de una lengua que no es la suya y al trabajar por traducir un pensamiento que le es algo extraño, ahondará en su propia lengua y en su pensamiento propio, descubriendo en ellos fondos y rincones que el confinamiento le tiene velados. Si el castellano se empeñase en penetrar en el espíritu catalán y el catalán en el espíritu castellano, sin mantenerse a cierta distancia, llenos de mutuos prejuicios por mutuo desconocimiento íntimo, no poco ganarían uno y otro. El conocimiento íntimo de lo ajeno es el mejor medio de llegar a conocer lo propio. Quien sólo sabe su lengua —decía Goethe—, ni aun su lengua sabe. Pueblo que quiera regenerarse encerrándose por completo en sí, es como un hombre que quiera sacarse de un pozo tirándose de las orejas.

Si entre sus virtudes tiene algún vicio profundo el pueblo castellano es éste de su íntimo aislamiento, aunque viva entre otros pueblos. Corrió tierras y mares entre pueblos extraños, pero siempre metido en su caparazón. Así como cree con terca ignorancia que le bastarían los recursos de su suelo para vivir la vida que hoy se le ha hecho habitual, encerrado en sí, cree también que tiene en su fondo tradicional con que nutrir su espíritu, satisfaciendo a la vez a la necesidad imperiosa de progreso. Con herir tanto el desdén del catalán o del vasco no sé si es menos hondo, aunque más callado, el desdén del castellano.

Si el carlismo se extiende por toda la península es porque se extiende por toda ella el regionalismo. Y hay un síntoma de buen agüero, y es que nace y va cobrando fuerza el regionalismo castellano, el de los trigueros. Cuando la región centralizadora, la que durante siglos ha impulsado la obra unificadora, se hace regionalista, es porque el regionalismo se impone. Entra como una de tantas en el concurso.

Ahora sólo falta que ese regionalismo se haga orgánico y no exclusivista; que se pida la vida difusa en beneficio del conjunto; que se aspire a la diferenciación puestos los ojos en la integración; que no nos estorbemos los unos a los otros para que cada cual dé mejor su fruto y puedan tomar de él los demás lo que les convenga.

Y este problema del regionalismo, que surgirá con fuerza así que salgamos de la actual crisis, surgirá combinado con el problema económico-social. El revivir del carlismo no es más que un mero síntoma del revivir del regionalismo, en cierto modo socialista, o del socialismo regionalista. Y ¿por qué no decirlo?, es el fondo anarquista del espíritu español, que pide forma, expresión, desahogo.

Ese fondo, que tomaría forma potente si nuestra nación se integrara sobre base popular, culmina más que en nada en el cristianismo español de que usted habla, en el que representan nuestros místicos.

Y con esto llego al final de estas reflexiones.

V

Es tal el nimbo que para la mayor parte de las personas rodea a la palabra anarquismo, de tal modo la acompañan con violencias dinamiteras y negaciones radicales, que es peligroso decirles que el cristianismo es, en su esencia, un ideal anarquista, en que la única fuerza unificadora sea el amor.

En ninguna parte acaso se comprendió mejor que en nuestra patria este sentido cristiano; pocos místicos entendieron tan bien como los místicos castellanos aquellas palabras de San Pablo de que la ley hace el pecado.

Usted mismo, amigo Ganivet, ha trazado en las más hermosas páginas de su *Idearium* la silueta del anarquismo cristiano español, sobre todo donde trata usted de la justicia quijotesca, que es en el fondo la justicia pauliniana, la cristiana. En mis artículos *En torno al casticismo* [1], que no sé cuándo recogeré en un tomo, había yo ya tratado este mismo punto.

Pero el impulso que a los sentimientos religiosos pudo haber dado en España la mística castellana quedóse poco menos que en mera iniciación; fue ahogado por factores históricos, por el fatal ambiente en que se movía la historia de nuestro pueblo. La reforma teresiana, después de haber sido embotada en su misma orden, fue oscurecida por los jesuitas. La Compañía de Acquaviva, más bien que de mi paisano San Ignacio —espíritu nada jesuítico—, es la que de hecho ha dado tono desde entonces a la religiosidad consciente de España.

Y aquí encaja como anillo al dedo lo que usted dice muy gráficamente de las ideas picudas: que puede aplicarse a los sentimientos.

Cuanto usted nos dice que le sugirió su primer oficio de molinero tiene perfecta aplicación en este orden.

La tarea silenciosa y pausada de moler con muela redonda, sin picos de intolerancia y dogmatismo, en nada es más provechosa que en la vida religiosa.

Pero aquí se ha hecho de la fe religiosa algo muy picudo, agresivo, cortante, y de aquí ha salido ese jacobinismo seudorreligioso que llaman integrismo, quintaesencia de intelectualismo libresco. Y para vestir a este descarnado esqueleto, rígido y seco y lleno de esquinas y salientes, no se ha encontrado mejor carne que un sistema de prácticas teatrales y ñoñas, con sus decoraciones, sus luces, sus coros y

---

[1]   Publicado en el volumen 403 de Colección Austral. (*Nota del editor.*)

su letra y música de opereta mala con derroche de superlativos dulzarrones y acaramelados. Y por debajo de este aparato *fisiológico* la constante cantilena de que el liberalismo es pecado, sin que logremos llegar a saber qué es eso del liberalismo.

La vida cristiana íntima, recogida, entrañable, hay que ir a buscarla a tales cuales almas aisladas, que alimentándose del tradicional legado, no se dejan ahogar por esa balumba de fórmulas, silogismos, rutinas y cultos de molinillo chinesco.

De cómo está oscurecido el sentimiento cristiano nos dan continuas pruebas las circunstancias por que pasa la nación. Aún no hace dos días he leído en un semanario *religioso* elogios a unos frailes que han tomado en Filipinas las armas, y a nadie, que yo sepa, se le ha ocurrido todavía que si las órdenes religiosas del archipiélago hubiesen cumplido su misión, se habrían sublevado los tagalos contra España, pero no contra ellas. Su oficio no debe ser mantener la soberanía de tal o cual nación sobre este o el otro territorio; una orden religiosa no debe ser patriótica de esa manera, pues no está su patria en este mundo. Sé que a muchos parecerá lo que voy a decir una atrocidad, casi una herejía, pero creo y afirmo que esa fusión que se establece entre el patriotismo y la religión daña a uno y a otra. Lo que más acaso ha estorbado el desarrollo del espíritu cristiano en España es que en los siglos de la Reconquista se hizo de la cruz un pendón de batalla y hasta un arma de combate, haciendo de la milicia una especie de sacerdocio. Las órdenes militares y la leyenda de Santiago en Clavijo son en el fondo impiedades y nada más. El patriotismo tal y como hoy se entiende en los patriotismos nacionales es un sentimiento pagano. Decimos con los labios que todos los hombres somos hermanos, pero en realidad practicamos el *adversus aeterna auctoritas*, y tenemos de la fraternidad la idea que tienen las tribus salvajes: sólo es hermano el de la misma tribu.

Tiene usted muy triste razón cuando afirma que el cristianismo apenas se ha iniciado, que no es más que una débil capa en los pueblos modernos. El evangelio de éstos es, en realidad, ese condenado Derecho romano, quintaesenciado sedimento del paganismo, médula del egoísmo social anticristiano. Cuando se dirija usted a mí, amigo Ganivet, puede decir del Derecho cuantas perrerías se le antojen, porque lo aborrezco con toda mi alma y con toda ella creo, con San Pablo, que la ley hace el pecado. *Derecho* y *deber,* estas dos categorías con que tanto nos muelen los oídos, son dos categorías paganas; lo cristiano es *gracia* y *sacrificio,* no derecho ni deber.

Y ¡a qué monstruosidades nos ha llevado el infame contubernio del Evangelio cristiano con el Derecho romano! Una de ellas ha sido la consagración religiosa que se ha querido dar al patriotismo militante.

Mucho me sugiere cuanto usted apunta acerca de los judíos, de esta raza perseguida, que por no formar nación subsiste mejor como pueblo; de esa raza de que salieron los profetas y de donde salió el Redentor, a quien dieron muerte sus compatriotas, alegando que era su conducta antipatriótica, como puede verse en el versillo 48 del capítulo XI del Evangelio, según San Juan.

Y de aquí podría pasar a indicarle la gran diferencia que hallo entre nación y patria, tan grande que suelen aparecérseme tales términos como contrapuestos. Pero como todo esto me llevaría ahora muy lejos, prefiero dejarlo para otra ocasión.

Hoy, que tanto se habla por muchos del reinado social de Jesús, se debía meditar algo más en que tal reinado no puede ser más que el reinado de la paz y de la justicia, de la paz sobre todo, de la paz siempre y a *toda costa*. No hay fariseísmo que pueda em-

pañar el claro y terminante: ¡no matarás! Y si para
no infringirlo hay que renunciar a ciudadanías históricas, se renuncia a ellas.

A Miguel de Unamuno

I

Poco a poco, sin pretenderlo, vamos a componer
un programa político. No uno de esos programas
que sirven para *conquistar* la opinión, subir al poder
y malgobernar dos o tres años, porque esta especia-
lidad está reservada a los jefes de partido, y nosotros, que yo sepa, no somos jefes de nada; de mí,
al menos, puedo decir que, desde que tengo uso de
razón, estoy trabajando para ser jefe de mí mismo,
y aún no he podido lograrlo. Pero hay también programas independientes que sirven para *formar* la
opinión, que son como espejos en que esta opinión
se reconoce, salvo si la luna del espejo hace aguas.
Tales programas están al alcance de todas las personas sinceras, y en España son muy necesarios, porque la opinión sólo tiene para mirarse el espejo cón-
cavo de su profunda ignorancia, y hace tiempo que
no se mira de miedo de verse tan fea.

Hay quien se lamenta de la ineptitud política de
la gente nueva, la cual, en el cuarto de siglo que llevamos de Restauración, no ha dicho aún: «Esta
boca es mía»: así se comprende que estemos gober-
nados por hombres anteriores a la revolución, los
más de ellos condenados ya a muerte en 1866, y que
nuestra política consista sólo en ir tirando, aunque
sea con vilipendio. Mas lo lamentable sería que la
juventud hubiera seguido las huellas que se encontró
marcadas y aceptado la responsabilidad de los hechos presentes. Si alguna esperanza nos queda todavía, es porque confiamos en que esos hombres nue-

vos, que no han querido entrar en la política de partido, estarán en otra parte y se presentarán por otros caminos más anchos y mejor ventilados que los de la política al uso.

No se entienda por esto que yo confíe mucho en la gente nueva; de no formarse los hombres de Estado por generación espontánea, no sé cómo se van a formar en nuestro país, donde no se enseña ni el abecedario de la política nacional. La Restauración acometió de buena fe la reforma de los estudios; pero el nuevo plan fue imitativo, como lo es todo en España, por ser también nuestro sistema de gobierno una pobre imitación; se adoptó un hermoso programa de asignaturas, cuya única deficiencia consiste en que, a pesar de lo mucho que enseña, no enseña nada de lo que más conviene saber a un español.

Nuestro pasado y nuestro presente nos ligan a la América española; al pensar y trabajar, debemos saber que no pensamos ni trabajamos sólo por la península e islas adyacentes, sino para la gran demarcación en que rigen nuestro espíritu y nuestro idioma. Tan difícil como era sostener nuestra dominación material, tan fácil es —y ahora que el dominio se extinguió en absoluto, más aún— mantener nuestra influencia, para no encogernos espiritualmente, que es el encogimiento más angustioso. ¿Qué sabe de América nuestra juventud intelectual? Cuatro nombres retumbantes, comenzando por el retumbantísimo de Otumba. La fecha de la independencia de nuestras colonias, que debió marcar sólo el tránsito de uno a otro género de relaciones, es para nosotros una muralla de la China. No faltan esfuerzos aislados, como los de las órdenes religiosas, los de la Academia de la Lengua, el del Centenario, la publicación de las *Relaciones de Indias* y los estudios críticos de Valera; pero estos trabajos no influyen en la educación de la juventud.

Si se mira el porvenir, hay mil hechos que anuncian que África será el campo de nuestra expansión futura. ¿Qué sabe de África nuestra juventud estudiosa? Menos que de América: ni los primeros rudimentos geográficos. Hay también esfuerzos aislados, que en un país tan perezoso como España quieren decir mucho. Granada, en particular, es el centro de donde han salido nuestros mejores orientalistas y donde se conserva más apego a la política simbolizada en el testamento de Isabel la Católica. Si yo dispusiera de capital suficiente (del que no dispondré jamás, porque tengo la desgracia de dedicarme a los trabajos improductivos), fundaría en Granada una escuela africana, centro de *estudios* activos, según una pauta que tengo muy pensada y con la que creo había de formarse un plantel de conquistadores de nuevo cuño, de los que España necesita. La gente se burlaría de mí, y quién sabe si al cabo de un siglo o dos se diría que yo había sido el único hombre de Estado de nuestra patria en los siglos XIX y XX. Gran celebridad es la que me pierdo por no tener recursos, y lo siento, no por la celebridad, sino porque la obra se quedará en proyecto, como todas las buenas.

No hay nada superior en arquitectura a las iglesias góticas, porque en ellas la armonía no es convencional y geométrica, como en las obras clásicas, sino que es psicológica y nace en lo íntimo de nuestro ser por la sugestión que nos produce la convergencia de las líneas ascendentes hacia un punto del cielo, semejantes a ideas que se enlazan en un solo ideal, o a las voces de un coro que se unen en una sola oración.

He aquí un criterio fijo, inmutable, para proceder cuerdamente en todos los asuntos políticos: agarrarse con fuerza al terruño y golpearlo para que nos diga lo que quiere. Lo que yo llamo espíritu territorial no es sólo tierra; es también humanidad, es sentimiento de los trabajadores silenciosos de que usted habla. La acción de éstos no es la Historia, como el basamento de la isla no es la isla, la isla es que sale por encima del agua, y la Historia es el movimiento, es la vida, que debe apoyarse sobre esa masa inerte, rutinaria, que ya que no ejecute grandes hechos, sirve de regulador e impide que los artificios tengan la vida demasiado larga y destruyan el espíritu nacional.

II

A pesar de lo dicho, creo, y la gratitud nos obliga a creer, que la Restauración ha prestado al país un gran sevicio: nos ha dado un período de paz relativa, y en la paz hemos visto claro lo que antes no veíamos; se decía que nuestros males venían de las guerras, revoluciones y pronunciamientos, y ahora sabemos que la causa de nuestra postración está en que hemos construido un edificio político sobre la voluntad nacional de una nación que carece de voluntad. Vivimos, pues, en el aire; como quien dice de milagro. Se explica perfectamente ese movimiento instintivo de la nueva generación en busca de una realidad en que afirmar los pies, eso que se ha llamado *movimiento regionalista,* aunque propiamente no lo sea. No hay ya jóvenes que vayan a Madrid con el uniforme de ministro en la maleta, y los hay que comienzan a comprender que un hombre no aventaja en nada con añadir su nombre al catálogo inacabable de celebridades inútiles y nocivas de España, y los hay también que prefieren trabajar en sus casas y en beneficio de sus pueblos a ganar en la tribu parlamentaria estériles aplausos. El día que haya en las diversas capitales de España hombres de talento y prestigio, que estudien los verdaderos intereses y aspiraciones de sus comarcas y los fundan en un plan de acción nacional, dejarán de existir esas entelequias o engendros de Gabinete con que hoy se nos gobierna, y habremos entrado en la realidad política.

Yo soy regionalista del único modo que se debe serlo en nuestro país, esto es, sin aceptar las regiones. No obstante el historicismo que usted me atribuye, no acepto ninguna categoría histórica tal como existió, porque esto me parece dar saltos atrás. A docenas se me ocurren los argumentos contra las regiones, sea que se las reorganice bajo la Monarquía representativa o bajo la República federal, sea bajo esta o aquella componenda, debajo del actual régimen encuentro demasiado borrosos los linderos de las antiguas regiones, y no veo justificado que se los marque de nuevo, ni que se dé suelta otra vez a las querellas latentes entre las localidades de cada región, ni que se sustituya la centralización actual por ocho o diez centralizaciones provechosas a ciertas capitales de provincia, ni que se amplíe el artificio parlamentario con nuevos y no mejores centros parlantes... Usted, que es vizcaíno, recordará que un Parlamento vasco no les hace ninguna falta, teniendo como tienen diputaciones forales que no son focos de mendicidad como muchas de España, sino diputaciones verdaderas; yo, que soy andaluz, declaro que Andalucía políticamente no es nada, y que al formarse las regiones habría que reconocer dos Andalucías: la alta y la baja; el mismo Pi y Margall, en *Las nacionalidades,* las admite.

Pero hay, además, una razón que de fijo le hará a usted mella. El valor de los organismos políticos depende en nuestro tiempo de su aptitud para dar vida a las reformas de carácter social, y ni el Estado, ni la religión, ni ninguna de sus formas posibles, satisfacen esta necesidad de nuestro tiempo; el socialismo español ha de ser comunista, quiero decir, municipal, y por esto defiendo yo que sean los municipios autónomos los que ensayen las reformas sociales; y en nuestro país no habría en muchos casos ensayos, sino restauración de viejas prácticas. El pueblo y la ciudad son organismos reales, constituidos por la agrupación de moradas fijas, inmuebles, y por lo mismo que son una realidad, podrían vivir independientes con ventaja y sin peligro. El peligro está en las instituciones convencionales, porque éstas, faltas de asunto real, divagan y caen en todo género de excesos.

No sé cómo hay socialistas del Estado ni de la Internacional; en España, es seguro que la acción del Estado sería completamente inútil. Se darían leyes reguladoras del trabajo y habría que vigilar el cumplimiento de esas leyes: un cuerpo flamante de inspectores, es decir, de individuos, que en virtud de una real orden tendrían el derecho de pedir cinco duros a todos los ciudadanos que cayeran bajo su dirección. Un ministro muy formal, el señor Camacho, dijo que siempre que daba una credencial de inspector, creía poner un trabuco en manos de un bandolero. Y si para mayor garantía los inspectores eran de la clase obrera, entonces apaga y vámonos.

Les voy a contar a ustedes un cuento que no es cuento. Había en una ciudad, de cuyo nombre me acuerdo perfectamente, aunque no quiero decirlo, un orador socialista de los de espada en mano. Todos los abusos le llegaban al alma, y el que le llegaba más hondo era el de que se robase en el pan, «base alimenticia del pueblo». La idea del pan falto se le fijó en la mollera, y tanto fue y vino, y tanto clamó y aun chilló, que el alcalde de la ciudad le llamó a su despacho, y después de una larga entrevista, en la que hizo gala de su amor al pueblo, a la justicia y a las hogazas cabales, le nombró inspector del peso del pan. Los panaderos faltones se echaron a temblar, excepto uno, el más viejo y socarrón del gremio, gran conocedor de sus semejantes, que dijo a sus compañeros: «Ése es un *enjambrío,* y, si queréis, yo me encargo de untarle la mano.» Así lo

hizo, y desde entonces ya no le faltaban al pan dos
onzas, sino cuatro: las dos de costumbre y dos más
para untar al *hombre nuevo.* Todo eso se remediaría,
diría alguien, nombrando un inspector superior, con
título, para que meta en cintura a sus subalternos.
Ese nuevo inspector, contesto yo, no sólo se dejará
sobornar, sino que exigirá que le lleven el dinero a
su casa y que le oxeen las moscas o le saquen los niños a paseo. Y tantos inspectores podríamos nom-
brar, que ocurriese con las hogazas lo que con las
caperuzas del cuento del *Quijote:* las habría tan chi-
cas, que habría que comerlas con microscopio.

Mientras el mundo exista habrá hombres listos
que vivan sin trabajar a expensas del público, y los
golpes irán siempre a dar en la hogaza, es decir, en
la realidad. Ensanchemos, pues, esta realidad para
que vivan todos, los listos y los que no lo son.
Y esto se consigue reservando parte de la propiedad
para usufructo común. Comunidades benéficas, de-
pósitos, de disfrute de montes y de pastoreo, etc.,
según las condiciones de cada municipio, a fin de
que el vecindario tenga la seguridad de que, no obstante albergar en su seno un considerable número de
bribones, éstos no impiden que todo el mundo
coma, por muy mal dadas que vengan.

III

Muchas contradicciones hallará el lector en el
programa de usted; pero yo sólo hallo una. La
alianza que usted establece entre regionalismo, socialismo y lo que llama carlismo popular suena aún
a cosa incongruente, y, sin embargo, es la forma política en la nueva generación y es practicable dentro
del actual régimen. Municipio libre, que sirve de «la-
boratorio socialista» —la frase es de Barrès—, y del
cual arranque la representación nacional, que los

electores tienen abandonada: una representación efectiva que sustituya a la ficción parlamentaria, y una autoridad fuerte, verdadera, que garantice el orden y la cohesión territorial. Esta combinación da más libertad práctica que la actual centralización. Donde yo encuentro que usted se contradice es al enlazar su cristianismo evangélico con sus ideas progresivas en materia económica, y aunque yo no tenga gran afición a los problemas económicos, le diré también en este punto mi parecer.

Quiere usted vida industrial intensa, comercio activo, prosperidad general, y no se fija en que esto es casi indiferente para un buen cristiano. Pregunte usted a todos esos hombres que se afanan por ganar dinero, y por cuyo bienestar usted se interesa, qué piensan hacer cuando tengan un gran capital, y le contestarán: «Darme buena vida; comer mejor, tener buena casa y muchas comodidades; coche, si a tanto alcanza; divertirme cuanto pueda y —esto en secreto— cometer algunas tropelías.» Los montes dan grandes gemidos para dar a luz un mísero ratón. No pienso molestarme jamás para ayudar a ganar dinero a gente que se mueva por rutina. Me es antipático el mecanismo material de la vida, y lo tolero sólo cuando lo veo a la luz de un ideal; así, antes de enriquecer a una nación, pienso que hay que ennoblecerla, porque el negocio por el negocio es cosa triste.

Pero la sociedad no piensa como yo sobre el particular, lo reconozco. La sociedad piensa por comparación, y como hoy lo que priva es el dinero, todos se afanan tras él, sin considerar que acaso estarían mejor sin él. Hay quien se muere de repente al saber que le ha tocado la lotería, y quien de hombre de bien se convierte en un mal sujeto porque heredó cuatro chavos y después de malgastarlos no quiere doblar la raspa. En suma, el valor del dinero depende de la aptitud que se tenga para invertirlo en obras nobles y útiles.

Se dice que la prosperidad material trae la cultura y la dignificación del pueblo; mas lo que realmente sucede es que la prosperidad hace visibles las buenas y malas cualidades de un pueblo, que antes permanecían ocultas. Si no se tienen elevados sentimientos, la riqueza pondrá de relieve la vulgar grosería y la odiosa bajeza: y en España, cuyo flaco es la desunión, si no inculcamos ideas de fraternidad, el progreso económico se mostrará en rivalidad vergonzosa. Hay familias pobres que se quitan el pan de la boca para dar carrera al niño, que salió con talento, y algunos de estos niños, en vez de ayudar después a los suyos para que se levanten, se apresuran a volver las espaldas. Yo conocí a un estudiante aventajado, hijo de una lavandera, que cuando se vio con su título de médico en el bolsillo llegó hasta a negar a su madre. Algo de esto ocurre en nuestro país.

He estado tres veces en Cataluña, y después de alegrarme la prosperidad de que goza, me ha disgustado la ingratitud con que juzga a España la juventud intelectual nacida en este período de renacimiento; a algunos les he oído negar a España. Y, sin embargo, el renacimiento catalán ha sido obra, no sólo de los catalanes, sino de España entera, que ha secundado gustosamente sus esfuerzos. En las Vascongadas sólo he estado de paso; pero he conocido a muchos vascongados; los más han sido bilbaínos, capitanes de buque, y éstos son gentes chapadas a la antigua, con la que da gusto hablar; los que son casi intratables son los modernos, los enriquecidos con los negocios de minas que no sólo niegan a España y hablan de ella con desprecio, sino que desprecian también a Bilbao y prefieren vivir en Inglaterra. El motivo de estos desplantes no puede ser más español; es nuestra propensión aristocrática: en cuanto un español tiene cuatro fincas, necesita hacer el señor; vivir lejos de sus bienes, contemplándonos a distancia y cobrando las rentas por mano de administrador.

De lo peligrosa que es esta manía, sírvanos de ejemplo lo que nos acaba de pasar. La cuestión cubana ha sido cuestión económica, como usted dice; pero lo que conviene también decir es que en ella no hemos sido tan egoístas como decían los Tirteafueras, que a cada momento nos reconvenían para no dejarnos comer a gusto. España no podía ser mercado para los productos de Cuba, pero le abrió el mercado de los Estados Unidos, ofreciendo a éstos en compensación ventajas que nadie ha querido tomar en cuenta, porque no hay peor ciego que el que no quiere ver. Era una reciprocidad por carambola con la que sólo conseguimos pasarle al gato la sardina por las narices. Pusimos la vida económica de Cuba en manos de la Unión, y ésta pudo entonces emplear su sistema de herir solapadamente y condolerse en público de la crisis cubana, del mismo modo que después alimentaba en secreto la insurrección y abiertamente se quejaba de sus estragos. Hemos repetido la prueba de *El curioso impertinente,* con la circunstancia agravante de que el marido curioso del cuento tenía confianza en su mujer y en su amigo, en tanto que nosotros sabíamos que entre ellos mediaba cierta intimidad sospechosa.

En esta experiencia me fundo yo para que no vuelva España jamás a buscar mercados de préstamos para nadie, ni a ligar el porvenir de ninguna región española a extrañas voluntades. Nuestra salvación económica está en la solidaridad, porque dentro de España se pueden formar con holgura los centros consumidores exigidos por las industrias que en la actualidad tenemos. Si las regiones que van logrando levantar cabeza vuelven las espaldas al resto del país, despreciándolo porque es pobre, que lleven la penitencia en el pecado. Las colonias han detenido el desarrollo de España. Éramos una nación agrí-

cola hasta hace poco, y una nación colonizadora
debe ser industrial, para asegurar así el cambio de
productos. España se transformó demasiado tarde y
se quedó entre dos aguas, y en sustancia las colonias
sólo han servido para crear industrias que necesitan
del amparo del arancel y para retrasar el desenvolvimiento agrícola del país. La mejor solución, pues, en
estos momentos no será la proteccionista ni la libre-
cambista, porque estas palabras son no más que fórmulas del egoísmo. Cada cual es proteccionista o li-
brecambista, según lo que compra o vende, no según sus convicciones doctrinales; lo mejor será,
como he dicho, la solidaridad. Sin prejuicio de buscar salida al excedente de nuestra producción, lo
que más debe preocuparnos es producir cuanto necesitamos para nuestro consumo, y alcanzar un bien
a que pocas naciones pueden aspirar: la independencia económica.

IV

Hay un punto en el que usted no está de acuerdo
conmigo. Cree usted que el valor de las ideas es inferior al de los intereses económicos, en tanto que
yo subordino la evolución económica a la ideal. No
es usted tan lógico, sin embargo, que ponga los intereses materiales por encima de todo idealismo; hace
usted una concesión en beneficio del ideal religioso.
Y yo pregunto: ¿Por qué no dar un paso más y decir
que no sólo la religión, sino también el arte y la
ciencia, y en general las aspiraciones ideales de una
nación, están o deben estar más altos que ese bienestar económico en que hoy se cifra la civilización?
Cierto que hay naciones que inician su acción exterior creando *intereses,* tras de los cuales vienen el
dominio político y la influencia intelectual; pero España no es de esas naciones; nosotros llevamos el
ideal por delante, porque ése es nuestro modo natu-

ral de expresión; nuestro carácter no se aviene con la preparación sorda de una empresa; la acometemos en un momento de arranque, cuando una noble ansia ideal nos mueve. Si hoy nos vemos totalmente derrotados —y la derrota empezó hace siglos— porque se nos combatió en nombre de los intereses, nuestro desquite llegará el día que nos impulse un ideal nuevo, no el día que tengamos, si esto fuera posible, tanta riqueza como nuestros adversarios. No es esto defender nuestro actual desbarajuste; hay que trabajar y acumular medios de acción, auxiliares de nuestras ideas; lo que yo sostengo es que nuestra acción principal no será nunca económica, pues por ella sólo seríamos imitadores serviles.

Dice usted, amigo Unamuno, que España fue a América a buscar oro, y yo digo que irían a buscar oro los españoles —y no todos—, pero que España fue animada por un ideal. Durante la Reconquista se formó en España ese ideal, fundiéndose las aspiraciones del Estado y la Iglesia y tomando cuerpo la fe en la vida política. La fe activa, militante, conquistadora, fue nuestro móvil, la cual creó en breve sus propios instrumentos de acción: ejércitos y armadas, grandes políticos y diplomáticos; todo esto apareció sin saber cómo en una nación oscura y desorganizada, que algunos años antes, en el reinado de Enrique IV, era un semillero de bajas intrigas.

No debe confundirse el móvil individual con el de la nación. Una nación desarrolla de ordinario sus intereses en la misma dirección de sus aspiraciones políticas, y los individuos se aprovechan hábilmente de esta circunstancia para servir a la vez a la patria y a su bolsillo particular. ¿Cuál ha sido el móvil de los Estados Unidos al promover la cuestión cubana? Se habla de sindicatos azucareros, emisiones de bonos y mil negocios de baja índole; pero lo cierto es que estos intereses han sido creados porque responden a una aspiración política más elevada: la de ex-

tender la dominación política por toda la América
del Sur, utilizando como medio seguro para adquirir
prestigio la idea antieuropea, expresada en la doctrina de Monroe.

Hace algún tiempo hablaba yo de este asunto con
un centroamericano, quien me dijo estas palabras,
que muy bien pudieran expresar el sentimiento de la
América latina: «Nosotros vemos el porvenir muy
oscuro, porque somos pocos para luchar contra los
yanquis; la idea de éstos es buscar un apoyo en las
Antillas y otro en el Pacífico, abrir el canal de Nica-
ragua y crear una *línea de intereses comerciales*.
Todo lo que caiga por encima de esa línea quedará
preso en las garras de la Unión.» «¿Y no cree usted
que antes que llegue ese día la Unión se deshaga a
causa de esos mismos intereses?» «Todo pudiera ser;
pero mientras tanto, lo cierto es que van adquiriendo casi toda la propiedad de Centroamérica y por
ese camino pueden llegar a ser los amos.» «¿Y por
qué no buscan ustedes el apoyo de Europa?» «Lo
haríamos si Europa no tuviera colonias en América;
pero mientras las tenga, nos parecería un acto de sumisión acudir a quien sigue siendo nuestro señor.
A los americanos les molesta el aire de colonos que
todavía tienen, y quieren abatir la supremacía de
Europa en América; así, aunque comprendamos el
juego de los Estados Unidos, no nos oponemos a él,
porque lo hacen en nombre de la dignidad personal
de los americanos.»

Por este ejemplo verá usted que aun aquellas naciones que parecen inspiradas por motivos más utili-
tarios van secretamente impulsadas por ideales, sin
los que no conseguirán jamás un triunfo duradero.
España ha sido vencida como lo sería otra nación,
Inglaterra misma, a pesar de su poder, porque lu-
chaba, no contra una nación, sino contra el espíritu
americano, cuya expansión dentro de su órbita natural es inevitable. En cambio, nuestra victoria sería

segura, a pesar de la postración aparente en que nos hallamos, si supiéramos dirigir nuestros esfuerzos hacia donde debemos dirigirlos. Hoy, que tanto se inventa en materia de armamentos, no estará de más que inventemos nosotros un cañón de nuevo sistema, al que yo le llamaría el cañón X, cuya fuerza no esté en el calibre, sino en la dirección; un cañón que no dé fuego más que cuando apunte a donde debe apuntar.

Quizá en algún caso las fuerzas materiales puedan detener —nunca impedir en absoluto— la marcha natural de los sucesos históricos; pero mejor es que no la detengan, sino que, al contrario, coadyuven a la obra. La idea tiene en sí eso que llaman los médicos *vis medicatrix,* fuerza curativa interna, espontánea: herida en un combate, presto se cura, y aun gana fuerzas para empeñar otro mayor, en el que vence. Esta idea, conciencia clara de nuestra vida y perfecta comprensión de nuestros destinos, hemos de buscarla dentro de nosotros, en nuestro suelo y la hallaremos si la buscamos. Yo he hallado ya muchos rastros de ella; pero su descripción no cabría en este artículo ni en cuatro más. Por esto he pensado consagrar a tan bello tema un breve estudio, que hace meses está en fragua, y que le enviaré a usted cuando lo publique, para ver si logro atraerle a usted a mi terreno, a mi *idealismo;* será un librillo de poca lectura, que pienso titular: *Hermandad de trabajadores espirituales.*